GUY DES CARS

Les filles de joie

Éditions J'ai Lu

En vente dans les meilleures librairies

Les filles de joie

GUY DES CARS

DEUX PRISONNIÈRES

Dès qu'elle eut entrouvert le judas grillagé, pratiqué dans le portail d'entrée donnant sur l'avenue du Maine, Sœur Agathe ne put s'empêcher de s'exclamer en reconnaissant la visiteuse :

— Vous, mademoiselle Agnès, à une heure aussi matinale ? Mais que se passe-t-il donc ?

— Je vous en prie, ma Sœur, ouvrez vite ! Pensez-vous que je puisse voir Elisabeth ?

— Certainement ! Il y a déjà longtemps que vous n'êtes pas venue : hier encore, elle nous le disait.. Et elle était un peu inquiète ! Savez-vous que vous n'avez pas du tout bonne mine ? Il y a quelque chose de grave ? Vous n'êtes pas souffrante, au moins ?

— Non, ma Sœur. Il faut absolument que je voie Elisabeth !

La visiteuse parlait avec une intonation si angoissée que la Sœur tourière lui ouvrit aussitôt et la fit pénétrer dans la cour intérieure de la grande Maison des Pauvres, tout en observant :

— A cette heure-ci, Sœur Elisabeth est très occupée : c'est le moment du réveil à l'infirmerie des
hommes... Elle doit leur donner les premiers soins..
Enfin je vais quand même essayer de la faire prévenir... Elle descendra sûrement, mais ne vous faites
pas d'illusions : elle ne pourra pas rester longtemps
avec vous... Attendez-la au parloir : depuis le temps
que vous venez, vous connaissez le chemin...

A chaque fois qu'elle pénétrait dans ce parloir,
Agnès ne pouvait s'empêcher d'avoir un premier
regard vers la statue de saint Joseph, seul ornement
décoratif des murs, pour voir si quelque figurine en
carton découpé ou quelque supplique griffonnée sur
un bout de papier ne se trouvait pas suspendue, par
une petite ficelle rose, au cou du « Grand Patron »
de la communauté. Lors de ses premières visites,
Agnès avait exprimé son étonnement de semblables
procédés qui lui paraissaient friser l'irrespect, mais
Sœur Elisabeth avait expliqué :

— Notre bon saint Joseph en a l'habitude ! N'est-
ce pas lui, dans toutes nos maisons du monde, qui
doit pourvoir — depuis plus d'un siècle — aux besoins de nos vieillards ? Dès qu'il nous arrive de
manquer de quelque chose d'essentiel, nous dessi-
nons l'objet sur un morceau de carton que nous
attachons à son cou... C'est ainsi qu'à une époque,
pas tellement lointaine, où la voiture du ravitaillement de cette Maison était encore hippomobile,
saint Joseph a eu, pendant six jours, un petit cheval
en carton suspendu à son cou. Cela voulait dire :
« Cher Patron, il nous faut absolument un cheval !

Celui que nous avons est fourbu : nous ne pouvons plus l'atteler et nous ne savons plus comment transporter le ravitaillement quotidien de nos cinq cents vieux et vieilles ! » Le septième jour de cette supplique, adressée à notre bon saint, un maraîcher des environs de Paris, averti je ne sais comment de notre détresse, nous amenait un cheval jeune et vigoureux qui fit une entrée triomphale dans la cour...

Agnès avait écouté, émerveillée et un peu sceptique.

— Il y a trois ans, avait continué Sœur Elisabeth, ce fut une camionnette en carton que notre Patron porta, suspendue à son cou, parce que les exigences du progrès nous ont obligées à remplacer le cheval par un véhicule motorisé. Quelques jours plus tard, une généreuse donatrice nous offrait la camionnette, qui a toujours été conduite par le plus alerte de nos vieillards, Arsène, dont le métier fut d'être chauffeur de maître... Mais il arrive parfois que saint Joseph prenne son temps pour nous apporter ce que nous lui demandons ! Il y eut même une Supérieure de cette Maison, la Très Révérende Mère Marie-Christine qui n'hésitait pas — quand le Patron ne se décidait pas à intervenir de là-haut pour nous — à le mettre en pénitence sur son socle, la tête tournée contre le mur... Mère Marie-Christine affirmait que cette punition de la statue donnait des résultats infaillibles : l'objet, ou le secours financier réclamé, arrivait le jour même ! La Très Révérende Mère allait jusqu'à dire : « Décidément, notre bon saint Joseph n'aime pas du tout tourner le dos aux visiteurs du parloir : il est plus curieux qu'une sœur portière ! Aussi préfère-t-il nous faire obtenir tout de suite ce que nous lui demandons. »

Le regard d'Agnès errait maintenant dans la pièce austère, aux murs ripolinés et au mobilier de bois laqué blanc, où elle était venue bien souvent depuis le jour où une lettre l'avait informée que Sœur Elisabeth, après avoir terminé son second noviciat et prononcé ses vœux de profession perpétuelle en Ille-et-Vilaine, à la maison-mère de la Tour Saint-Joseph, avait été affectée à Paris, à la Maison de l'avenue du Maine.

Plus que jamais, ce matin, le visage d'Agnès — qui reflétait déjà depuis des mois une mystérieuse tristesse cachée — était tourmenté. Dans quelques instants, il offrirait un contraste encore plus saisissant avec celui de Sœur Elisabeth qui entrerait, selon son habitude, dans le parloir avec un visage rayonnant, épanoui de gaîté intérieure, peut-être même exubérant.

Depuis le jour où elle était entrée chez les Petites Sœurs des Pauvres, Elisabeth avait dit un adieu définitif à la timidité qui n'était à ses yeux qu'une forme déguisée de l'orgueil.

A chaque fois qu'elles se retrouvaient ainsi toutes les deux, Agnès parlait peu et semblait trouver un intense plaisir à écouter la voix claire d'Elisabeth : elle avait tant de choses à raconter sur les innombrables petits événements qui s'étaient succédés dans la vie quotidienne de la grande Maison ! Elisabeth y mettait tant d'enthousiasme que les moindres détails devenaient passionnants.

Malgré cette différence assez sensible du comportement et des caractères, Agnès et Sœur Elisabeth gardaient une ressemblance physique bouleversante... Les silhouettes élancées étaient les mêmes. Agnès était une très belle jeune femme à l'élégance toujours sûre ; quant à Elisabeth, elle se demandait parfois si sa taille longue et fine lui permettait de porter aussi modestement qu'il convenait le nom de Petite Sœur... S'il n'y avait pas eu entre les deux femmes la différence des vêtements, le costume tailleur beige de l'une et la lourde robe noire de l'autre, s'il n'y avait pas eu aussi le visage dégagé d'Agnès et celui d'Elisabeth strictement encadré par le bonnet blanc, il aurait été bien difficile de dire laquelle était Agnès et laquelle était Elisabeth.

Les yeux — ces lumières de l'âme — étaient du même gris bleuté, indéfinissable, qui semblait traversé par les plus beaux rêves du monde... Le nez, légèrement retroussé, donnait aux deux visages la même vivacité spirituelle... La bouche exprimait la même sensualité sans qu'il fût cependant nécessaire que les lèvres de Sœur Elisabeth fussent dessinées avec soin au bâton rouge comme l'étaient celles d'Agnès... Les mains avaient les mêmes attaches fines, de bonne souche. L'intonation de la voix, le sourire, les gestes étaient identiques et l'on pouvait supposer que la chevelure tondue et cachée sous le bonnet de la petite sœur, avait dû être faite des mêmes boucles d'or que celles d'Agnès...

Une telle ressemblance physique se justifiait puisque la visiteuse du parloir et l'humble servante des pauvres étaient jumelles.

Pendant que l'attente se prolongeait, Agnès ne pouvait s'empêcher de penser, comme elle l'avait fait tant de fois depuis le jour où sa sœur avait renoncé au monde, à l'abnégation et au courage dont Elisabeth devait faire preuve pour accomplir quotidiennement les tâches les plus rebutantes sans jamais se plaindre et avec une sérénité souriante. Maintes fois, Elisabeth avait entraîné sa jumelle vers cette infirmerie des hommes où elle devait être en ce moment, et le spectacle d'une humanité usée, impotente, avait toujours rempli la jeune femme d'une répulsion instinctive. Peut-être serait-elle parvenue, elle aussi, à se dévouer à d'autres œuvres mais jamais, lui semblait-il, elle n'aurait pu s'occuper de vieillards.

A aucun moment, elle ne s'était sentie habitée par un tel esprit de charité. Elle s'était laissée entraîner sur une tout autre voie. Mais, pour la première fois de sa vie, en ce matin de désespoir, Agnès mesurait l'étendue de l'abîme qui la séparait de sa jumelle. Instinctivement, peut-être pour puiser dans cette contemplation muette le courage dont elle avait besoin pour l'effroyable aveu qu'elle devait faire à Elisabeth, la jeune femme regarda à nouveau, avec une détresse implorante, la statue de saint Joseph : un saint Joseph qui avait eu la chance de n'avoir pas été mis en pénitence ce jour-là. C'était comme si Agnès voyait le bon saint avec des yeux neufs. Elle était cependant bien banale et presque puérile cette statuette, coloriée dans le style de Saint-Sulpice, telle qu'on la retrouve dans chaque parloir des Petites Sœurs des Pauvres à travers le monde... Un saint Joseph à la barbe blonde qui tendait les bras aux visiteurs du parloir en ayant l'air de dire :

— Vous voyez, je suis pauvre... Mes mains, que l'on m'a faites trop délicates pour qu'elles puissent rappeler mon rude métier de charpentier, sont largement ouvertes : donnez ! Apportez votre obole, si modeste soit-elle, pour nos vieillards.

Les yeux d'Agnès s'étaient remplis de larmes : elle n'apportait comme obole qu'un terrible aveu... Les mains de saint Joseph restèrent tendues parce qu'elles devaient avoir l'habitude depuis longtemps, de recueillir ces perles de tristesse que sont les larmes.

Enfin, Elisabeth entra dans le parloir avec la force de ces tornades bienfaisantes qui s'abattent sur les terres assoiffées. Tout de suite, la petite Sœur comprit — en apercevant le visage ravagé de sa jumelle — que le drame, qu'elle pressentait depuis des mois, venait d'éclater. Elle dit dans un élan, pendant qu'elle entourait Agnès de ses bras de femme :

— Dis-moi tout...

Les lèvres d'Agnès s'entrouvrirent et tremblèrent... Aucun son, cependant, aucune parole ne put en sortir. Elle aurait voulu parler sans attendre, sachant que si elle laissait passer le premier moment, elle n'aurait plus le courage de dire ce qui l'oppressait depuis trois années, à chaque fois qu'elle venait dans ce parloir. Mais, en un éclair, elle s'imagina révélant à Elisabeth la vie qu'elle avait menée. Et elle comprit qu'il n'était pas possible de ternir la sérénité d'un tel lieu, ni de porter un si grand coup à celle qui n'était qu'amour et charité.

Elle resta muette, trouvant même la force de dissimuler son désarroi sous un pauvre sourire. Elisabeth, qui continuait à l'observer avec une tendre inquiétude, lui dit :

— Je n'aime pas ce sourire... J'ai l'impression qu'il cache quelque chose de grave... Tu n'as donc plus confiance en moi ?

— Je n'ai confiance qu'en toi... C'est pourquoi je suis venue te voir à une heure où tu n'as pas l'habitude de recevoir ma visite. Il y a déjà des mois que je voulais te dire la vérité...

— C'est donc si pénible ? C'est pour cela que tu venais me voir de moins en moins ?

— Oui...

— Je t'écoute, ma chérie.

La jeune femme tenta un nouvel effort pour parler, mais son visage exprima une souffrance infinie pendant qu'elle murmurait dans un souffle :

— Je ne peux pas !

La servante des Pauvres la regarda longuement et lui dit avec une douceur attristée :

— Je comprends qu'il y ait des choses que tu ne puisses pas confier à un être humain, et encore moins peut-être à ta propre sœur... Mais pourquoi ne les dirais-tu pas à Dieu ?

— Comment m'écouterait-Il ?

Cela avait été dit avec un tel accablement que la petite Sœur demanda, tremblante :

— Agnès, tu n'as pas perdu la foi ?

La réponse, hésitante, se fit attendre :

— Je ne sais plus...

— Viens vite à la chapelle : tu t'expliqueras avec ton Créateur.

Elles s'agenouillèrent l'une à côté de l'autre pour des prières silencieuses. Sans doute Elisabeth demanda-t-elle à Celui dont elle était devenue l'épouse depuis le jour de ses grands vœux :

« *Mon Seigneur et mon Dieu, faites que ma sœur — qui est tout ce qui me reste de ma famille — puisse trouver dans ce bas monde un bonheur aussi grand que celui que Vous m'avez donné le jour où Vous m'avez fait la grâce de me prendre pour fiancée ! Protégez-la ! Je sais que Vous avez voulu que la perte de nos parents, alors que nous étions encore très jeunes, soit compensée par l'affection mutuelle qui nous unit. Jésus, je Vous aime, mais j'aime aussi Agnès ! Vous savez que j'ai autant besoin de ses visites qu'elle a besoin en ce moment de se confier... Ecoutez-la, Seigneur, avec toute Votre clémence. Mais en toutes choses, que Votre volonté soit faite !* »

Dans le même temps l'âme tourmentée d'Agnès devait dire :

« *Mon Dieu, je m'accuse d'avoir choisi une tout autre route que celle d'Elisabeth, mais vous ne m'aviez pas faite pour l'existence pénible qu'elle* » mène au milieu de tous ces vieillards ! Vous-même, Jésus, qui avez voulu mourir jeune sur la croix, vous savez que c'est affreux, la vieillesse, et qu'il ne peut y avoir deux saintes dans la même famille ! Mais il me faut la présence de ma petite sœur, même si je ne puis la voir que rarement dans un parloir et si je ne trouve pas encore le courage de m'ouvrir à elle ! J'ai trop peur qu'elle me juge, malgré tout son amour, avec une sévérité que je ne mérite peut-être pas... Si je la perdais, elle qui est ma seule alliée sur terre, je sais que j'en mourrais, en ne croyant plus à Votre miséricorde... Mon Dieu, Vous seul — qui connaissez la vérité — êtes mon souverain juge. Malgré mes fautes, je continue à espérer... N'avez-Vous pas dit : « Parce qu'elle a beaucoup aimé, il lui sera beaucoup pardonné ? »

Sœur Elisabeth, qui s'était relevée sans bruit, dit à voix basse à sa jumelle :

— Reste là, ma chérie. Je dois retourner à l'infirmerie auprès de mes vieux, pour un long moment encore. Attends-moi ici, nul lieu n'est plus propice à la méditation...

Elle quitta doucement le sanctuaire, laissant Agnès à nouveau seule avec elle-même. Et la jeune femme, perdue dans ses pensées, commença à revoir — avec une lucidité mêlée de remords — le monstrueux enchaînement de lâchetés qui l'avait conduite en quelques années à la désespérance...

Agnès comme Elisabeth, s'était toujours sue jolie :

les jumelles n'avaient eu qu'à se regarder dans un miroir. Mais si Elisabeth avait décidé toute jeune, exactement le jour de sa communion solennelle, de réserver sa beauté à l'Epoux Divin, Agnès n'avait toujours eu qu'une idée : orienter sa vie de façon à mettre en valeur cette beauté dès ce bas monde. Après des études qui ne l'avaient pas menée plus loin qu'une première partie de baccalauréat, l'orpheline, que sa sœur venait de quitter pour entrer, avant même sa majorité, au noviciat de La Tour Saint-Joseph, était venue directement de sa province à Paris, avec son inexpérience et ses ambitions juvéniles pour tout bagage.

Et, avec l'audace de son âge, elle s'était présentée à une école de mannequins dont elle avait eu l'adresse par une annonce prometteuse lue au hasard dans un journal : « *Devenez mannequin en quelques leçons.* » Etre mannequin de grande couture avait semblé à la jeune fille une profession rêvée pour un épanouissement dirigé de sa beauté. Enfin, Agnès n'avait de comptes à rendre à personne, sinon à Elisabeth qui l'aimait d'une telle tendresse qu'elle avait aussitôt approuvé en disant :

— Je trouve juste que, si l'une de nous entre au couvent, l'autre essaie, au contraire, de devenir une femme choyée. Le peu de fortune qui nous restait de nos parents ne nous a pas permis de pousser bien loin nos études. Maintenant nous devons travailler toutes les deux : toi pour acquérir ton indépendance et moi pour m'occuper des autres... La beauté n'a jamais nui à personne : si tu es ainsi, c'est que notre

Créateur l'a voulu. Pourquoi ne pas utiliser ce don merveilleux qu'Il t'a fait ?

Après avoir terminé son apprentissage de mannequin, Agnès était entrée dans une grande maison de couture où sa beauté l'avait tout de suite fait agréer. Mais le malheur avait voulu que la haute couture française plus que tout autre commerce de luxe, connût une crise difficile. Des maisons très sérieuses, dont la renommée était cependant mondiale, avaient dû fermer leurs portes et Agnès s'était retrouvée, après deux années de travail régulier pendant lesquelles — malgré d'innombrables propositions d'admirateurs divers — elle avait su rester sage, dans la situation assez précaire de « mannequin-volant ».

Jamais elle n'avait osé avouer à Elisabeth qu'elle ne travaillait plus dans une grande maison mais, selon les saisons et les nécessités des collections, pour différentes firmes dont la plupart étaient de second ordre.

Etre « mannequin-volant » n'est nullement déshonorant en soi ; cela consiste à inscrire son adresse et son numéro de téléphone sur un certain nombre de listes que consultent les maisons de couture les moins importantes ou même les maisons de demi-confection quand elles ont besoin de jolies filles pour présenter leurs modèles. Parfois le contrat ne dure que l'espace d'une journée : celle de la présentation. Il arrive aussi que le mannequin-volant soit envoyé en province ou à l'étranger pour une présentation de goût français et de la mode inégalée de Paris. Le mannequin-volant n'est pas seulement engagé pour des présentations de robes à la clientèle : il trouve ses meilleurs cachets en posant pour des photographies de magazines ou des journaux de mode. Il loue également son visage ou sa silhouette — — selon un tarif syndical déterminé — pour servir de réclame vivante à une crème de beauté ou à un accessoire de l'élégance féminine, tels que souliers, sacs, écharpes, foulards, chapeaux, fourrures... Quand la jeune femme a des difficultés pour payer son modeste loyer ou son hôtel, elle ne peut refuser l'éclat de son sourire, de sa denture ou de sa chevelure à une marque de pâte dentifrice ou de shampooing. Tous les contrats sont bons lorsqu'il faut vivre.

Le drame du métier vient des périodes creuses où les firmes réduisent les budgets publicitaires. Les périodes de chômage sont la hantise de ces jeunes femmes, habituées à une certaine élégance et qui — ne sachant que faire pour boucler leur budget — « se débrouillent » comme elles le peuvent et font quelques « extras » avec une clientèle galante.

Agnès, la très douce, la très pure Agnès, avait su rester mannequin-volant sans chercher à faire d' « extra », jusqu'au jour où elle avait rencontré l'homme qu'elle craignait maintenant plus que tout au monde.

Un soir banal, elle était entrée, en compagnie d'une camarade — mannequin-volant comme elle — pour prendre un tonic-water dans un bar assez avenant de la rue de Ponthieu. Pour les deux jeunes femmes, la journée avait été rude : elles étaient restées debout, pendant des heures, chez un couturier de l'avenue

Matignon qui préparait sa nouvelle collection de printemps et qui avait engagé du personnel supplémentaire pour les dernières retouches « sur pied », c'est-à-dire sur mannequins.

Quand elles pénétrèrent dans le bar, il ne s'y trouvait, en plus du barman, qu'un seul client assis sur l'un des hauts tabourets. L'amie d'Agnès connaissait ce monsieur : les présentations furent faites. Une heure plus tard, Georges Vernier — c'était sous ce nom que l'inconnu avait été présenté — invitait les deux jeunes femmes à dîner à Saint-Cloud sur une péniche-restaurant amarrée le long du quai.

Ce n'était pas qu'il fût particulièrement bel homme, ce Georges Vernier, mais il possédait une certaine élégance naturelle ajoutée au prestige d'un confortable cabriolet de marque américaine. Il ne parlait pas beaucoup mais, quand il ouvrait la bouche, ce n'était que pour dire des choses sensées. Aussi Agnès ne put-elle s'empêcher d'éprouver à l'égard de cet inconnu le sentiment de respect instinctif qu'une femme encore jeune porte à un homme de beaucoup son aîné, mais qu'elle ne considère nullement comme un homme âgé parce qu'elle le sent fort et maître de ses décisions.

Le dîner avait été agréable. La soirée s'était terminée à la *Villa d'Este*, où l'homme d'affaires — c'était la profession un peu vague de Georges Vernier, selon une confidence rapide de la camarade d'Agnès — avait dansé alternativement avec l'une et l'autre de ses belles invitées. Il dansait d'ailleurs à ravir.

A deux heures du matin, la voiture américaine

avait déposé Agnès devant la porte de l'immeuble du boulevard de Courcelles où elle logeait dans une ancienne chambre de bonne qu'elle avait aménagée avec goût. La voiture était repartie avec Georges et Suzanne qui habitait, elle, sur la rive gauche.

Le lendemain, les deux amies s'étaient retrouvées pour une nouvelle séance de retouches chez le couturier.

— Georges a été enthousiasmé par toi ! dit Suzanne en abordant Agnès.

— Il ne l'a guère montré hier soir.

— C'est un calme, tu sais... Tu ne le trouves pas sympathique ?

— Que fait-il au juste ?

— Je te l'ai dit : il est dans les affaires... Je crois qu'il s'occupe d'import-export... En tout cas, il a beaucoup d'argent.

— Vous vous connaissez depuis longtemps ?

— Encore assez...

— Ne penses-tu pas, Suzanne, qu'il pourrait faire un mari très convenable pour toi ?

— Georges se marier ! En tout cas, pas avec moi ! Lui et moi sommes de bons amis, c'est tout... C'est toi seule qu'il voudrait revoir. Avant de me quitter, hier soir, il me l'a fait comprendre en termes dont la sincérité ne pouvait faire aucun doute. Et j'ai senti que tu pouvais être la compagne dont il a besoin maintenant.

— Pourquoi moi ?

— Sans doute as-tu des qualités que d'autres n'avaient pas ?

— Tu es folle, Suzanne.

— Je suis très sérieuse, au contraire... Sais-tu que je t'aime comme si tu étais un peu ma petite sœur ?

— Je n'ai pas besoin de sœur !

— Tu parles comme toutes celles qui ont été fille unique, mais tu as une trop bonne nature pour ne pas avoir souffert d'un isolement que tu cherches à oublier en essayant de te faire passer pour égoïste.

Agnès ne répondit pas : pourquoi révéler à cette Suzanne, qui n'était qu'une camarade de travail rencontrée quelques mois plus tôt, l'existence d'une Elisabeth ? Les jumeaux n'ont-ils pas entre eux des secrets que ne peuvent comprendre les autres ? Les mois de leur commune conception n'ont-ils pas déjà fait d'eux d'étranges complices le jour où ils viennent au monde ?

La voix de Suzanne se fit plus persuasive :

— Ça ne te plairait pas de revoir Georges seule ?

— Je ne sais pas.

— C'est un homme libre. Il n'a jamais été marié.

— Alors pourquoi veux-tu qu'il m'intéresse s'il ne se sent pas fait pour le mariage.

— Tu en es encore là ? Il te faut le mariage tout de suite ou rien du tout !

— Mes principes m'interdisent d'envisager autre chose.

— Tes principes ! Où t'ont-ils menée ? A la solitude complète ! Je me suis souvent demandé ce que tu pouvais bien faire le soir chez toi ?

— Je lis, j'écoute la radio, je couds, je m'occupe de mon intérieur...

— Au fond, sous une apparence de femme fatale, tu n'as qu'une âme de petite bourgeoise. Tu me déçois, Agnès ! Je te croyais plus évoluée... Malgré ces brillantes occupations, il ne t'est jamais arrivé d'être brusquement prise d'une fringale de sortie ? d'avoir envie de t'amuser, de danser comme nous l'avons fait hier soir, de sentir les hommes te désirer, de vivre enfin ?

Une fois de plus, Agnès restait muette. Son amie crut deviner dans ce nouveau silence, un aveu de trouble et elle poursuivit :

— ... de rencontrer un ami ? de connaître l'homme ?

— Tais-toi !

— Malgré tes soi-disant principes, cela t'arrivera comme aux autres... Ce jour-là, tu seras la plus heureuse des femmes ! Tu t'en voudras de ne pas l'avoir fait plus tôt ! Tu n'as pas l'intention de rester vieille fille ou d'entrer au couvent, alors ?

— Je t'en prie : ne dis plus rien !

— Si, une dernière question... Regarde-moi en face : oui ou non, as-tu seulement eu un amant ?

Le regard clair d'Agnès resta limpide, ne cherchant nullement à éviter celui de son interlocutrice, mais il était impénétrable. Aucune expression de triomphe caché ou de regret ne se lisait sur son visage.

Décontenancée, Suzanne finit par dire :

— Tu dois penser que je me mêle de ce qui ne me regarde pas, mais j'ai voulu t'aider à sortir de cette prison imbécile où tu t'enfermes volontairement, je ne sais pourquoi ! Je ne regrette pas non plus de

t'avoir transmis ce message : Georges veut absolument te revoir. Je crois qu'il serait triste si tu n'y
consentais pas. Il m'a priée de t'informer qu'il reviendrait spécialement ce soir à sept heures dans le
même petit bar sympathique où nous l'avons rencontré hier. Il a ajouté que, si cela te faisait plaisir et
si tu n'avais rien de mieux à faire, il serait heureux
de t'inviter à dîner. La commission est faite : à toi de
décider ! Si tu y vas, je ne crois pas qu'une soirée
pareille t'engage beaucoup... Tu peux, au moins, faire
de cet homme un ami solide, capable de t'être utile.
Je le connais depuis assez longtemps pour pouvoir
t'assurer qu'il a beaucoup de relations et le bras
long. Qui sait ? Peut-être sera-ce lui qui te trouvera
une situation autrement stable et mieux rémunérée
que la nôtre ?

— Je ne comprends pas pourquoi tu n'utilises pas
ses pouvoirs pour tenter d'améliorer ton propre sort
plutôt que le mien ?

— Pour deux raisons, ma chère : d'abord parce
que je suis pas une égoïste comme toi, ensuite parce
que bientôt je ne te verrai plus. J'abandonne le
métier ! J'en ai assez !

— Qu'est-ce que tu vas faire ?

— Rien : j'ai trouvé un garçon qui m'aime.

— Heureuse ?

— Très !

— Tu vas l'épouser ?

— C'est toi qui deviens trop curieuse maintenant !
Apprends quand même que je suis beaucoup moins

pressée que toi de me marier... C'est une loterie trop
dangereuse, le mariage ! Je ne dis pas que si je
m'entends très bien avec cet homme, sous tous les
rapports, je ne songerai pas à convoler. Mais il ne
faut rien précipiter ! Vive le mariage à l'essai ! Tu y
viendras comme moi... Réfléchis quand même, pour
ce soir...

— J'ai tout l'après-midi...

Les réflexions d'Agnès durent être favorables à
l'homme calme, puisqu'elle pénétrait à sept heures
dans le bar où il l'attendait, assis sur le même tabouret que la veille, le regard fixé sur la porte d'entrée.

Agnès aurait été bien incapable de s'expliquer à
elle-même pourquoi elle avait accompli ce premier
pas... Parce qu'elle n'en pouvait plus d'une existence
solitaire, sans autre affection que celle d'une sœur
religieuse qu'elle ne pouvait voir que de temps en
temps et dont elle serait toujours séparée par la
règle austère d'un couvent ? Ou bien parce que certaines paroles de Suzanne : « *Il ne t'est jamais arrivé d'avoir envie de rencontrer un ami ? de connaître
l'homme ?* » résonnaient étrangement en elle ? Ou
enfin, parce qu'elle se sentait attirée vers le quadra-
génaire, qui n'avait cependant rien de très séduisant,
un peu comme ces brillants papillons qui ne peuvent
résister au besoin de brûler leurs ailes au contact de
lampes quelconques ?

Au moment où elle retrouvait celui qui n'était
encore pour elle qu'un inconnu, Agnès ne se souvenait même plus des fatigues qu'on lui avait imposées
dans la maison de couture pendant les interminables

essayages de l'après-midi. Elle avait à peine conscience d'être restée, des heures durant, tour à tour
immobile ou marchant au gré des modélistes et du
couturier et d'avoir changé dix fois de robes sans
même avoir été intéressée par leurs lignes ou par
leurs teintes : ce qui ne lui était encore jamais arrivé
depuis qu'elle était mannequin. Pour la première fois,
son travail lui avait semblé fastidieux, odieux même...
Suzanne avait raison ! Le métier était impossible et
sans avenir... Toutes les pensées de la fille aux boucles d'or avaient été ailleurs, axées sur le visage et
la silhouette de Georges Vernier dont la personnalité silencieuse commençait, sans qu'elle pût même
dire pourquoi, à s'imposer à elle avec une force obsé-
dante.

C'était bien la première fois aussi que pareille
aventure survenait dans la vie grise d'Agnès. Sa réserve, sa timidité, sa méfiance même étaient brusquement vaincues. Si Elisabeth avait pu assister à cette
métamorphose extérieure, elle en aurait été enchan-
tée, elle qui n'avait cessé de répéter au cours des
visites faites avenue du Maine :

— As-tu au moins quelques amis ? C'est indispensable pour toi... Le Bon Dieu ne nous a pas créés
pour que nous vivions tous en ermites ! Je ne suis
heureuse que quand je me sens entourée... Dans cette
vaste maison, entre nos vieillards et nos Petites
Sœurs, nous sommes près de six cents personnes. Je
reconnais que je suis gâtée... C'est pourquoi, aussi,
notre piété est gaie ! Mais toi, tu es si seule !

A chaque fois, Agnès répondait :

— Tu as tort de toujours t'inquiéter pour moi ! Je ne peux pas donner mon amitié à la légère...

Elle venait cependant de choisir un inconnu sans prendre même le temps de réfléchir. Et cela, Elisabeth le lui aurait sans doute reproché.

La deuxième soirée, passée dans la compagnie de Georges, lui parut très courte, bien qu'elle se prolongeât tard dans une cave de Saint-Germain-des-Prés où ils parlèrent de tout et de rien, principalement de ce que chacun voulait dire à l'autre pour lui faire comprendre que la nouvelle présence était déjà indispensable.

Quand elle se retrouva seule chez elle, au petit jour, Agnès était ivre de tout : de danse, de rêve, de joie. Elle n'avait plus la moindre envie de se chercher une excuse. Ce qui venait d'arriver lui paraissait normal et juste. Lorsque l'homme l'avait embrassée, dans la voiture avant de la quitter, elle s'était sentie sombrer dans un vertige qui lui avait fait découvrir une chaleur généreuse qu'elle n'aurait jamais pu imaginer. Très vite — elle le savait déjà sans oser trop se le dire — l'homme la ferait sienne. Elle n'aurait pas le courage de résister ; elle ne le voulait même pas. Tous les principes, derrière lesquels elle s'était farouchement abritée depuis des années, avaient été balayés en une nuit.

Elle comprenait que son destin de femme serait de vivre auprès de cet homme qui ne lui avait cependant pas parlé de mariage. Le plus étrange était bien qu'elle s'en moquait éperdument. Elle ne voyait même plus la nécessité d'une cérémonie quelconque pour sanctionner leur union. Elle ne pensait qu'au moment où elle appartiendrait à Georges. Celui-ci, d'ailleurs, lui avait nettement fait comprendre qu'il la voulait, mais il n'avait rien promis en échange. Et c'était peut-être ce qui avait attiré le plus Agnès : dans sa profession de mannequin, elle avait entendu tant d'hommes promettre monts et merveilles si elle consentait à devenir leur maîtresse, qu'elle en était arrivée insensiblement — et sans même s'en rendre compte — à préférer la brusque rencontre avec un inconnu qui ne prononcerait pas de grandes phrases mais qui paraîtrait sincère. Georges devait être cet homme...

Etait-ce chez elle la naissance de l'Amour ? Elle le croyait mais, en réalité, elle confondait l'amour avec le désir. Elle avait un besoin irraisonné d'être à un homme.

Il vint l'attendre à six heures et demie devant la sortie du personnel de la maison de couture. Ce fut avec une fierté presque enfantine qu'elle s'installa à côté de lui dans le cabriolet américain, sous les regards tour à tour étonnés et envieux de ses camarades de travail. La seule qui parut trouver cela normal fut l'amie Suzanne qui leur lança, avec un sourire complice, au moment où la voiture démarrait :

— Bonne soirée !

Comment Suzanne, après la conversation qu'elles avaient eue ensemble la veille, aurait-elle pu comprendre que la joie de son amie dépassait déjà de loin le stade de l'amusement ? Agnès était heureuse.

Vers la fin du dîner, qu'ils prirent dans un petit restaurant en vogue de l'île Saint-Louis, elle dit à son compagnon en un aveu qu'elle pensait nécessaire :

— Je crois que nous pourrions connaître le bonheur ensemble. Mais je vous sais suffisamment averti pour avoir compris que jusqu'à ce jour je ne me suis donnée à personne. Cela doit paraître plutôt ridicule à un homme comme vous ?

— C'est très bien, au contraire. Vous ne serez qu'à moi... et dès ce soir !

— Vous n'y songez pas, Georges ?

— Il le faut.

Quand il la reconduisit chez elle, à l'aube, Agnès était devenue femme... Une femme heureuse.

De quoi est donc fait le bonheur d'une femme ?

Agnès se demandait, dans le silence du sanctuaire, si elle était vraiment coupable d'avoir succombé aussi facilement à la tentation de la chair ? Toute femme n'avait-elle pas droit à ce bonheur, et ne devait-elle pas l'accueillir quand il se présentait, même s'il était en contradiction avec la morale qui lui avait été enseignée ? Combien de femmes, parce qu'elles n'avaient pas osé enfreindre certaines lois, avaient vu leur vie désaxée, remâchant des regrets tout au long d'une existence insipide. Non, il ne fallait pas regretter d'avoir cédé à la première loi de la nature.

Comme par défi, Agnès releva la tête... Elle aperçut alors deux petites vieilles, deux pensionnaires du bâtiment des femmes, qui venaient de pénétrer dans le chœur par la porte basse située derrière le maître-autel. L'une tenait en mains un plumeau et un chiffon, l'autre traînait péniblement un escabeau.

La première, qu'Agnès reconnut sans peine pour l'avoir vue presque à chaque fois qu'Elisabeth l'avait entraînée à la chapelle, remplissait avec zèle, depuis quelques années déjà et malgré ses soixante-quinze ans bien sonnés, les fonctions de sacristine : elle se nommait Félicité. La seconde devait être une adjointe d'occasion, du même âge, à peu d'années près, et à qui Félicité donnait à haute voix des conseils, sans paraître se soucier de la veilleuse qui restait allumée en permanence près du tabernacle pour indiquer que le Saint-Sacrement s'y trouvait exposé. Félicité se souciait encore bien moins de la présence de l'étrangère à la communauté.

Pourquoi Félicité aurait-elle modifié, ce matin-là, ses habitudes de sacristine en se faisant plus silencieuse que d'habitude ? N'était-elle pas chez elle dans cette chapelle ? Ces candélabres, cette nappe brodée recouvrant l'autel, cette sonnette du servant de messe posée au pied de la troisième marche de granit, la table de communion, émouvante dans sa nudité, la chaire pauvrement sculptée, les confessionnaux austères ne constituaient-ils pas pour elle un mobilier familier ? Ne trouvait-elle pas normal de dire, de sa voix aigrelette, à son acolyte :

— Et surtout, madame Eudoxie, tenez bien l'escabeau pendant que j'essuierai l'Enfant Jésus ! La Mère

Supérieure m'a dit hier que c'était une véritable honte de l'avoir laissé se couvrir d'une telle couche de poussière, dans les bras de la bonne Vierge ! Seulement je lui ai répondu que je n'arriverais jamais à le nettoyer correctement sans escabeau ! Je l'aime beaucoup, ce petit Jésus, mais je ne voudrais quand même pas me casser une jambe pour ses soins de propreté ! L'Enfant Jésus lui-même n'y tient pas !

Mme Eudoxie rassembla toutes ses forces de septuagénaire pour se cramponner à l'escabeau, dont son aînée avait commencé l'escalade.

En voyant ces deux vieilles servantes de la Maison de Dieu, Agnès ne pouvait s'empêcher de se demander si Félicité et Eudoxie — longtemps avant d'être sacristines chez les petites Sœurs qui les avaient accueillies l'une et l'autre, quand un monde hostile à la vieillesse n'avait plus voulu d'elles — avaient connu, elles aussi, la même faiblesse devant le désir ? Peut-être avaient-elles été belles ? Et, même si elles ne l'avaient pas été, avaient-elles connu les joies de l'amour ? Quels secrets, quels drames peut-être — tout aussi douloureux que celui que vivait actuellement Agnès — se cachaient derrière leur puérile sérénité ?

Agnès en oublia la présence des deux vieilles pour se demander avec anxiété par quel miracle elle parviendrait, à son tour, à se libérer du passé trouble qui l'obsédait ? Déjà un passé, à son âge ?

Hélas, oui : un passé très lourd...

En une nuit, Georges était devenu tout pour elle.

Les semaines coulaient heureuses. Elle ne vivait que pour lui. L'instinct charnel s'était développé en elle avec une rapidité et une violence qui lui donnaient le vertige. De jour en jour, elle s'était abandonnée davantage au plaisir, ne cherchant même pas à se demander qui était réellement celui dont elle était devenue l'amante aveugle ?

Même la grande différence d'âge — il avait près de vingt ans de plus qu'elle — donnait à cet homme une autorité qu'elle n'eût pas songé à discuter ; Agnès lui appartenait comme une esclave doublement dominée par les sens et par la maturité du compagnon.

Dès les premiers jours de leur liaison, il lui avait fait abandonner la profession de mannequin en lui faisant comprendre, avec tact et fermeté, qu'il avait suffisamment d'argent pour subvenir à ses besoins. Agnès avait bien tenté de résister :

— Mon amour, je ne veux pas être une femme entretenue ! Je dois continuer à gagner ma vie : pour rien au monde je ne voudrais être une charge pour toi... Je t'aime !

— Je le sais...

Il savait toujours tout. Il devinait tout. Elle se sentait incapable de lui cacher quoi que ce fût... à l'exception cependant d'un secret : à lui non plus, elle n'avait jamais parlé d'Elisabeth. Plusieurs fois, elle avait été sur le point de lui révéler l'existence de sa jumelle, mais toujours, à la dernière seconde, une force plus grande que son désir de franchise avait paralysé ses lèvres. Sans trop savoir pourquoi, elle avait l'impression qu'un tel aveu avait quelque chose de sacrilège. Georges n'avait aucune religion et n'aurait sans doute pas compris la grandeur et la spiritualité que comporte l'humble vie d'une petite servante des pauvres. Enfin, il avait trop connu la réussite pour pouvoir s'apitoyer sur la misère des vieux.

Agnès avait préféré lui dire qu'elle était orpheline et n'avait aucune famille. Il avait paru en éprouver une réelle satisfaction : ainsi serait-elle toute à lui.

Ce silence n'avait pas empêché la jeune femme de continuer à se rendre en cachette régulièrement avenue du Maine où Elisabeth, toujours soucieuse du bonheur et du bien-être de sa jumelle, n'avait pas été sans remarquer :

— Depuis quelque temps, je te trouve transformée. Tu parais plus gaie. Tu es contente dans ta maison de couture ?

— Très contente !

Pourquoi avouer qu'elle n'y travaillait plus déjà depuis plusieurs semaines ? Il aurait fallu dire la raison, et la raison, c'était l'interdiction de Georges. Comment apprendre à la petite Sœur l'existence de l'amant ? Elisabeth ne pourrait admettre la présence d'un homme dans la vie de sa jumelle que s'il s'agissait d'un époux.

Agnès se trouvait emprisonnée dans un double silence à l'égard des deux êtres qui représentaient tout pour elle : la religieuse et l'amant. Et elle essayait de se persuader elle-même que l'existence pourrait continuer ainsi jusqu'au jour où Georges, qui semblait de plus en plus épris d'elle, finirait par dire :

— Après tout, ne sommes-nous pas libres tous les deux ? Puisque notre amour est solide, pourquoi ne pas nous marier ?

Ce jour-là serait le plus beau de la vie d'Agnès qui pourrait enfin annoncer simultanément à Elisabeth l'heureuse nouvelle de son mariage avec l'homme qu'elle aimait et à Georges son très doux secret : Elisabeth...

Mais les mois succédèrent aux semaines sans que l'amant parût désireux de modifier leur genre de vie. Curieuse vie, en vérité, qui les faisait se retrouver le soir dans la petite chambre mansardée qu'Agnès avait conservée sur les conseils de Georges :

— Garde-la tant que je n'aurai pas déniché l'appartement de nos rêves. Au moins, cette chambre nous donne l'illusion d'un « chez nous ».

Car Georges n'avait pas de « chez lui ». Il habitait l'hôtel. Ce qui n'avait pas été sans étonner Agnès, qu'il avait vite rassurée :

— Jusqu'à ce que nous nous rencontrions, j'ai toujours mené une vie de garçon. Pour moi, l'hôtel c'est commode. Je n'ai à m'occuper de rien. C'est assommant pour un homme seul de diriger un intérieur ! Toi, tu es bien la première femme qui soit dans ma vie autre chose qu'une aventure. Avant de te rencontrer, j'avais pour principe absolu de n'avoir que des liaisons très courtes... Bonjour, bonsoir, et on ne se connaît plus ! Avec toi, j'ai compris tout de suite que ce serait différent, que tu n'étais pas comme les autres, que ça pouvait tenir... **Tu me comprends ?**

— Oui, chéri.

— Aussi je commence à changer d'idée au sujet de notre domicile. Je sais bien qu'il nous faudra trouver un appartement. Seulement, ce n'est pas facile !

— Pourquoi n'as-tu jamais voulu que j'aille te voir à ton hôtel ?

— Je préfère te voir ici : c'est charmant.

— Oh ! Tu sais, ma chambre de bonne n'a rien d'un palais !

— Peut-être... mais tu l'as quand même très bien arrangée : c'est un vrai nid d'amoureux.

— C'est la seule raison ?

Il eut une courte hésitation avant de répondre :

— J'ai reçu dans cet hôtel pas mal de femmes ou de filles qui y venaient pour une nuit, quelquefois pour moins de temps... Tu ne voudrais tout de même pas que je te traite comme elles, ni passer, aux yeux des gens de la réception ou d'un concierge de nuit, pour ce que tu n'es pas ?

— Je me moque éperdument de l'opinion des autres ! Je t'aime, ça me suffit... Tu aurais pu aussi changer d'hôtel ?

— Ça va faire trois ans que j'habite dans celui-ci : lui et moi avons fini par nous habituer l'un et l'autre !

Le seul droit qu'avait Agnès était de téléphoner à l'hôtel en demandant la chambre 24. Elle ne s'en privait pas, ayant l'impression — comme toutes les vraies amoureuses — qu'il était très loin d'elle dès qu'il n'était pas à ses côtés. C'était avec un étrange sentiment de satisfaction qu'elle demandait au standard de l'hôtel :

— Passez-moi M. Vernier... De la part de sa femme.

Georges ne lui avait-il pas conseillé :

— Quand tu me téléphones, inutile de dire ton nom : il ne regarde personne à l'hôtel. Je trouve beaucoup plus important qu'ils te considèrent comme ma femme. Aucune de celles qui m'ont téléphoné avant toi n'a eu le droit de se faire passer pour madame Vernier. Ça ne te fait pas plaisir ?

Agnès prit tellement vite l'habitude d'être « sa femme » qu'elle finit par croire qu'elle l'était devenue réellement.

Ses passages dans différentes maisons de couture lui avaient permis de se constituer un fond de garde-robe appréciable, mais la mode évolue avec une telle rapidité qu'à chaque saison nouvelle elle était prête à dire, comme toutes les Parisiennes qui veulent rester élégantes : « Je n'ai rien à me mettre ! » L'élégance était chez Agnès une triple nécessité : parce qu'elle était une élégante-née, parce qu'elle ne devait pas décevoir Elisabeth et les petites Sœurs à chacune de ses visites mais, surtout, parce qu'elle voulait continuer à plaire à Georges qui ne regardait que les femmes bien habillées : la sienne ne devait-elle pas l'être mieux que toutes les autres ? C'était difficile pour Agnès de maintenir un renouveau vestimentaire perpétuel. Les quelques économies, qu'elle avait réussi à réaliser grâce à une foule de petits sacrifices quotidiens ajoutés les uns aux autres pendant les années où elle avait vécu seule, fondirent avec une rapidité déconcertante.

Elle devait bien s'avouer aussi qu'en dépit des moyens financiers importants dont il semblait disposer, son amant ne se montrait guère généreux avec elle. Il ne l'était d'ailleurs avec personne : sa nature le poussait à penser à lui avant de songer aux autres. Egoïste ? C'était plutôt chez lui de l'inconscience... Avare ? Pas lorsqu'il s'agissait de sortir et de se faire voir dans les grands restaurants ou dans les boîtes de nuit en vogue en compagnie de sa belle amie. Il dépensait alors sans compter, sortant de ses poches des liasses de billets. Il avait aussi le pourboire large, comme s'il cherchait, avant tout, à s'attirer la considération du personnel.

Mais sa générosité s'arrêtait là : l'habillement d'Agnès, le loyer — même très modeste — du boulevard de Courcelles, les dépenses courantes du domicile restaient à l'entière charge de la jeune femme. Georges profitait toutes les nuits du lit d'Agnès, mais il ne lui venait jamais à l'idée de demander à sa compagne si elle avait quelques soucis d'argent. Il était cependant l'unique responsable de l'abandon qu'elle avait fait de son métier. Aussi la situation d'Agnès devint-elle critique. Mais, pour rien au monde, elle n'aurait voulu avouer ses difficultés à son amant : elle avait la conviction qu'un homme cesse d'aimer une femme quand celle-ci devient pour lui une charge.

Georges ne lui avait jamais offert non plus le moindre cadeau, ni envoyé les plus humbles fleurs.

Agnès n'avait même pas l'idée de le lui reprocher ou de lui en faire un grief : le plaisir des sens tenait lieu de tout.

Un soir, il l'étonna bien, en lui disant, au moment où il réglait une assez forte addition dans un night-club :

— Prends ça pour toi. J'ai fait une excellente affaire aujourd'hui.

Et il glissa dans son sac à main un rouleau de billets. Elle voulut rendre les billets en protestant :

— Je ne suis pas une femme d'argent, chéri !

— Tu m'aimes pour moi. Tu me l'as déjà dit et je te crois... Seulement, si ça me plaît, à moi, de te faire un petit cadeau ?

Rentrée chez elle, elle constata qu'il lui avait donné cent mille francs. Son sentiment de pudeur s'effaça alors devant un autre infiniment plus agréable : celui que « son » Georges ne devait pas l'aimer que dans le lit, qu'il l'aimait d'amour et sûrement plus qu'il ne le laissait paraître. Et elle s'en voulut de l'avoir secrètement mal jugé, de l'avoir méconnu, de l'aimer peut-être plus par les sens que par le cœur. Et elle se promit d'élever son amour.

Deux semaines plus tard, dans des circonstances à peu près analogues, il glissa à nouveau dans le sac une liasse : il s'agissait cette fois de deux cent mille francs.

Une troisième fois, enfin, il lui remit un troisième cadeau de même importance : cela faisait en tout un demi-million. Elle ne put s'empêcher de dire :

— Tu me prends donc pour une fille de luxe ?

— Ça ne te flatterait pas ?

— Oh ! pas du tout.

— Tu as tort, crois-moi ! Il n'y a pas une femme honnête qui ne rêve d'être confondue au moins une fois dans sa vie, avec une créature de ce genre... Tu verras que tu deviendras moins rigide...

— Cela m'étonnerait ! De toutes façons, chéri, je t'interdis de te ruiner pour moi.

— Tu es une curieuse fille, ma petite Agnès... On n'en fait plus beaucoup comme toi, aujourd'hui ! Tu me plais de plus en plus !

Les cinq cent mille francs permirent à Agnès d'envisager l'amélioration de sa garde-robe avec plus d'optimisme. Elle était surtout heureuse de sentir la délicatesse de son amant qui, sans la questionner, avait fini par deviner ses petites difficultés de trésorerie. Malgré tout, elle restait gênée :

— Ecoute, chéri, comment arriverai-je à te rendre tout cet argent ?

— Parce que tu as vraiment l'intention de me le rendre ? Je t'ai dit que c'étaient des cadeaux... Si un jour tu deviens riche, tu m'en feras à ton tour, voilà tout !

— Pourquoi tiens-tu tant que cela à ce que je continue à ne rien faire ? Ça devient vite paresseuse, une femme qui ne pense plus qu'à l'amour !

— C'est ainsi que tu me plais !

— Si je travaillais, je pourrais non seulement subvenir à mes frais mais t'aider aussi pour l'achat d'un appartement.

— Tu ne vas pas encore m'ennuyer avec ta profession de mannequin ? Pour moi, ça n'en est pas une. Ça ne rapporte rien en proportion des heures de présence et de fatigue qu'on vous impose. S'il fallait vraiment qu'un jour tu reprennes une activité, laisse-moi au moins te trouver quelque chose de plus lucratif. Fie-toi à mon bons sens et fais-moi confiance.

De nouveaux mois passèrent. Il n'y eut plus aucun cadeau.

Ils continuaient à sortir presque tous les soirs, à fréquenter ces endroits où des gens de tous les milieux se retrouvent pour danser, pour boire et surtout par snobisme : pour se faire voir.

— As-tu remarqué comme tu as du succès ? lui dit-il un soir. Tous les hommes te regardent et toutes les femmes t'envient...

— C'est grâce à toi, chéri...

Ce soir-là, Agnès s'aperçut que, pour la première fois — il avait toujours payé comptant jusqu'à ce jour — Georges signait l'addition que lui présentait le maître d'hôtel en disant :

— Vous me connaissez, depuis le temps que je viens chez vous ! Dites à votre patron qu'il me la fasse représenter la prochaine fois.

Le lendemain, le même fait se reproduisit au restaurant où ils dînaient et dans la boîte où ils allèrent ensuite.

Toute la semaine, il en fut ainsi : Georges signait, mais ce n'était jamais dans le même lieu. Il semblait qu'une fois qu'il eût apposé sa signature quelque part sur une addition, il ne tenait plus à reparaître dans l'établissement. Agnès commença à en éprouver une

certaine gêne mais Georges avait toujours fait preuve d'une telle sûreté dans ses agissements qu'elle
n'osa pas lui faire la moindre réflexion. S'il avait
adopté cette méthode de paiement différé, c'est qu'il
devait avoir d'excellentes raisons.

Mais elle le sentait quand même très soucieux.
Pendant leurs dernières sorties, il s'était montré encore plus silencieux que d'habitude et l'atmosphère
de leur liaison devenait pesante, malgré tous les
efforts qu'elle faisait pour continuer à paraître gaie
et heureuse. Quand ils rentraient boulevard de Courcelles, il la délaissait maintenant, comme s'il était
déjà lassé d'elle. Après lui avoir prodigué pendant des
semaines des caresses auxquelles elle s'était habituée
et dont elle ne pouvait plus se passer, il semblait ne
plus attacher aucune importance à sa présence dans
le lit, auprès d'elle. Elle le voyait se tourner maussa-
dement de l'autre côté, s'endormir, tandis que sevrée
soudain de bonheur charnel, elle veillait tristement
celui qui en était le dispensateur. A la fin, n'y tenant
plus, désespérée, ne pouvant plus supporter cette
indifférence incompréhensible, elle finit par demander :

— En aurais-tu assez de moi ?

— Il ne s'agit pas de cela.

— Alors, qu'y a-t-il ?

— Tu tiens absolument à le savoir ?

— Ne m'as-tu pas répété maintes fois que j'étais
ta femme ? Ne dois-je pas partager tes peines comme
tes joies ? Tu as des ennuis d'affaires ?

— Plutôt...

— Que puis-je pour toi ?

— Tu veux vraiment m'aider ?

— Je ferais n'importe quoi pour que tu redevien-nes l'amant dont j'ai besoin... Tu ne comprends donc pas que tu me rends folle depuis que tu ne veux plus de moi ?

— Alors, écoute... J'ai fait de très mauvaises affai-res ces derniers temps... L'import-export, c'est fichu, avec la suppression progressive des barrières doua-nières... Enfin, je suis à bout...

— A bout ?

— Ruiné, quoi !

— Ne penses-tu pas que ce serait plus grave si nous ne pouvions plus être amants ?

— La bohème et un cœur, même dans une mansar-de aussi douillette que la tienne, ça ne convient plus à notre époque ! Tu sais très bien que je ne suis pas un romantique mais un homme qui a les pieds sur terre et qui ne peut aimer que lorsqu'il a l'esprit tranquille : il nous faut de l'argent... et rapidement ! Sinon, j'aurai de gros ennuis... J'ai des dettes...

— Si seulement je pouvais te rendre tout ce que tu m'as avancé ! Malheureusement, je l'ai dépensé pour continuer à te plaire en étant élégante.

— Tu pourrais me revaloir cela rapidement et sans beaucoup de travail.

— Comment ?

— Si tu fais ce que je vais te dire, nous sortirons très vite de cette mauvaise passe et je pourrai me refaire... Ecoute ! Tu possèdes encore quelque chose qui compte : tu as maintenant tout ce qu'il faut pour être élégante et plaire non seulement à moi mais à d'autres... Tu ne serais pas la première femme qui aide ainsi son mari dans une période difficile : toutes les femmes intelligentes le font plus ou moins aujourd'hui. L'important, c'est de ne pas trop s'engager. Par exemple, si tu te faisais très chic demain, je pourrais te présenter à un homme avec qui je suis en relations d'affaires. C'est un monsieur immensément riche. Je sais qu'il m'estime ; c'est quelqu'un qui pourrait me commanditer pour une nouvelle affaire que je voudrais lancer.

— Quelle affaire ?

— Un snack-bar. Ça marche partout, ces machins-là ! Ils sont tous pleins ! Nous pourrions gérer l'affaire, toi et moi. Ainsi nous travaillerions ensemble et nous ne nous quitterions plus de la journée. Ça ne te plairait pas ?

— Oh, si !

— Seulement, il a un défaut, ce commanditaire idéal : il a d'autres chats à fouetter... Il faudrait que, pendant un certain temps — juste celui qui sera nécessaire pour lui faire signer les accords et me verser les premiers fonds — tu cherches à fixer sur nous son attention. Je t'assure que cela te serait facile ! Tu prendrais aisément de l'ascendant sur lui, sans aller trop loin, bien sûr. Et tu pourrais vite le conseiller intelligemment... Tu lui dirais, par exemple : « Si j'étais à votre place, je n'hésiterais pas... Je commanditerais Georges Vernier... C'est un garçon remarquable et qui a le sens des affaires. » Pour peu que tu lui répètes ça spécialement aux moments où tu le sentirais ému près de toi, je suis persuadé qu'il finira par t'écouter...

— Mais ce que tu me demandes là n'est pas très honnête !

— Pas honnête ? Dis-toi bien que cet homme-là a besoin de placer son argent quelque part comme tous ceux qui en ont trop. En quoi est-ce malhonnête de lui conseiller de l'investir dans une affaire montée par ton mari ? Je n'ai rien d'un escroc, que je sache ?

— Non, chéri... Mais s'il est amoureux de moi ?

— Je l'espère bien ! N'es-tu pas une très jolie femme ? Il faut qu'il le soit, amoureux de toi. C'est indispensable ! Ensuite, toi et moi, nous ferons de lui tout ce que nous voudrons...

Elle le regarda, affolée :

— Tu ne me demandes pas d'être sa maîtresse ?

— Je t'ai dit que je te garderai toujours pour moi seul ! La seule chose que tu ferais serait de sortir quelquefois avec lui : vous iriez déjeuner ou dîner, danser même dans une boîte... Mais, bien entendu, tu éviterais d'aller dans les endroits où l'on nous a vus ensemble...

— Ne trouverait-il pas bizarre que tu me laisses sortir ainsi seule avec lui ?

— Mais non... puisqu'il ne saura pas que nous vivons ensemble !

Cette fois, elle était médusée, incapable de parler. Sans paraître remarquer sa stupeur, il enchaîna :

— S'il savait que tu es ma femme, il se méfierait.

Demain, je te présenterai à lui comme si tu n'étais pour moi qu'une relation mondaine, simplement une jolie femme que je connais.

— Tu renierais ainsi publiquement notre amour ?

— Je ne renie rien du tout, ma petite Agnès. Notre liaison ne regarde pas tout le monde, voilà tout ! Ah ! il ne faudrait pas que nous arrivions ensemble, toi et moi, à l'endroit où se feront les présentations... J'ai pensé au *Fouquet's* : c'est assez parisien. Tout le monde y passe... Je pourrais lui donner rendez-vous à cinq heures, pour bien parler avec lui de mon affaire... Tu n'arriverais, ultra-chic, que vers six heures et tu chercherais une table dans notre voisinage. T'ayant reconnue, je me lèverai pour te saluer, et te présenter M. Damet, c'est son nom... A cette heure-là, il n'y aura sûrement pas de table libre, et je t'offrirai de t'asseoir à la nôtre. Tu accepteras. Par un hasard providentiel, ce soir-là tu n'aurais rendez-vous avec personne : tu serais une femme libre ! Je te présenterai comme étant mannequin. Damet est l'un de ces hommes à s'enthousiasmer dès qu'ils entendent ce mot qu'ils croient magicien de beauté : « Mannequin ! » Nous bavarderons de choses et d'autres tous les trois pendant dix minutes, je regarderai ma montre et me lèverai affolé, me souvenant brusquement que mes affaires me réclament à l'autre bout de Paris ! Comme je suis bien élevé, je règlerai les consommations avant de prendre congé de vous deux, et vous laisserai en tête à tête. Le bonhomme sera ravi, il t'invitera à dîner, tu auras quelques secondes d'hésitation pour la forme et, finalement, tu accepteras. Ensuite, vous pourriez très bien aller dans une boîte quelconque.

— Et après ?

— Après ? Tu te feras reconduire — il a une très belle voiture — jusque devant la porte de cet immeuble, en ayant soin de lui faire comprendre que tu habites seule, mais que tu es une femme sérieuse. Comme il aura ton adresse, s'il est bien éduqué — et je le crois tel — après-demain il t'enverra des fleurs avant de te téléphoner pour te demander de consentir à dîner à nouveau avec lui le soir même ?

— Que répondrai-je ?

— Que tu acceptes, bien entendu !

— Et toi, où seras-tu pendant toute cette soirée ?

— Je t'attendrai ici en lisant un roman policier.

— Il y a longtemps que tu songes à cette « affaire » ?

— Encore assez...

— Et tu as la conviction de ne pas pouvoir la réussir sans mon aide ?

— Damet est un dur en affaires. Il ne faiblit que devant les jolies femmes : autant que ce soit devant la mienne, qui est ma plus grande alliée !

Elle resta un moment silencieuse avant de demander :

— Jusqu'à quelle heure faudra-t-il rester avec lui ?

— Je ne sais pas, moi... Cela n'a pas grande importance puisque je t'attendrai ici... N'aie pas l'air trop pressée de le quitter !

— Quel âge a cet homme ?

— Ah ! ça t'intéresse ? Apprends qu'il doit avoir

à peu près le mien et qu'il est plutôt bien de sa personne. Il n'est pas vulgaire et sa conversation n'est pas dénuée d'intérêt. Il possède un magnifique appartement avenue Foch, ce qui est déjà une référence. J'y ai été deux fois : c'est meublé avec goût ! Si vous devenez des amis et s'il te propose un jour de te le faire visiter, n'hésite pas ! Toi, qui adores les belles choses, tu seras enthousiasmée !

— Chéri... N'est-ce pas dangereux ce que tu me demandes de faire ?

— D'abord, je ne te demande rien ! J'ai simplement suggéré un moyen qui nous permettrait de sortir de difficulté... Et en quoi serait-ce dangereux ?

— Si cet homme apprenait, par exemple, que nous vivons ensemble ?

— Il ne peut pas le découvrir... Il sait que j'habite l'hôtel et il connaît mon adresse : tu vois comme ça peut servir d'avoir deux domiciles !

— Je vois...

Les yeux limpides d'Agnès restaient dans le vague pendant qu'il continuait à lui expliquer avec force détails le mécanisme de ce que devrait être la première soirée passée avec l'homme riche. Il semblait que Georges eût tout prévu, tout calculé... Elle l'écoutait presque sans l'entendre et, pendant que le flot de conseils bourdonnait à ses oreilles, elle essayait de se raisonner elle-même en se disant : « Après tout, mon rôle ne se limiterait qu'à quelques sorties anodines avec un inconnu... Grâce à cet effort de ma part, peut-être pourrais-je débarrasser Georges de ses soucis financiers et retrouver l'amant que j'ai connu ? Ne dois-je pas aussi l'aider comme il m'a aidée lui-même ? Sinon, je ne serais qu'une femme méprisable ! »

Mais, pas un instant, elle ne pensa à se poser la question : « S'il me demande une chose pareille, c'est parce qu'il ne m'aime pas. Il me désire comme moi je le désire, c'est tout ! Pourquoi m'aimerait-il plus que je ne l'aime ? Nous ne sommes que deux êtres qui trouvent leur satisfaction mutuelle dans l'accouplement... » Il était encore trop tôt pour qu'elle pût comprendre que, dans cette liaison charnelle, elle était déjà la vaincue puisqu'elle ne pouvait plus s'en passer.

Quand Georges cessa de parler, elle lui dit, avec une douceur résignée qu'elle s'efforça de cacher sous un sourire :

— J'ai très bien compris, chéri... Demain, je serai au *Fouquet's* à six heures.

La rencontre se passa comme l'avait prévue Georges. Une demi-heure après les présentations, la jeune femme s'était retrouvée seule avec l'homme riche...

Georges était au lit, plongé dans la lecture de son roman policier quand Agnès revint. Il jeta un coup d'œil à sa montre :

— Trois heures du matin, dit-il. Tu ne t'es pas trop ennuyée ?

Et il ajouta avec gentillesse :

— Bonsoir, ma chérie...

Il l'avait observée et il avait vu tout de suite que si rien ne s'était encore passé de ce qu'il attendait, l'expression du visage de la jeune femme avait cependant changé : il était empreint de détresse. Pendant un long moment, elle le regarda, elle aussi, ses yeux embués de larmes. Brusquement, elle se laissa tomber à genoux près du lit et dit, suppliante :

— Ne me demande plus de revoir cet homme ! Sais-tu ce qu'il voulait tout à l'heure ? Que j'aille coucher avec lui dans une maison de rendez-vous... C'est affreux ! Pour qui m'a-t-il prise ?

— Je vois, dit-il, tu l'as rendu très amoureux : alors, il a perdu la tête... D'ailleurs, tu as refusé ? Alors, pourquoi pleures-tu ?

— J'ai peur de cet homme...

— Peur ? Mais c'est un être inoffensif et charmant...

— Trop ! Il a tout fait pour me convaincre... Je le sens prêt à n'importe quoi pour que je lui appartienne.

— En somme, il promet beaucoup ! conclut Georges. As-tu au moins parlé de moi ?

— Au début, après ton départ du *Fouquet's*, pour dire que tu cherchais une commandite pour une affaire que tu montais... Que tu méritais qu'on t'appuie.. Je n'ai pas trop osé revenir sur le sujet : j'ai craint qu'il ne se doutât de quelque chose... Il est assez méfiant...

— Tu as bien fait. Tu lui reparleras de moi demain...

— Demain ?

— Il t'a sûrement fixé un rendez-vous ?

— Oui...

— A quelle heure ?

— L'après-midi : à trois heures...

— Où ça ?

— Au *Fouquet's*...

— Encore ? Il y prend goût !

— Je n'irai pas !

— Personne ne t'oblige, chérie ! Tu es libre de faire ce que tu veux. Evidemment, si tu ne le revois pas, je n'ai guère d'espoir pour ma commandite...

— Chéri, cet homme me déplaît !

— Alors, n'en parlons plus ! Et considérons que c'est une affaire morte... Dommage ! Elle nous aurait sauvés... Il va falloir que je trouve autre chose mais, en attendant, je me demande ce que nous allons devenir ?

— Tu rencontreras sûrement un autre commanditaire...

— Pas de cette envergure !... A propos, je n'ai pas encore eu le temps de te dire hier que, pour rembourser une toute petite partie de mon passif et faire patienter quelques créanciers, j'ai dû vendre la voiture... Je l'ai mal vendue... C'est toujours comme cela quand on est pressé : l'acheteur vous voit venir !

— Tu n'as plus d'auto ?

— Plus d'auto !

— Mon pauvre chéri ! Ça va te manquer terriblement !

— Il faudra bien que je m'habitue à aller à pied, ou en métro...

— Je ne le veux pas ! Ça t'allait si bien d'être au

volant d'une voiture américaine ! Et je l'aimais, cette voiture... Elle représentait tant de choses pour moi ! Tu te souviens : tu m'y as embrassée pour la première fois...

— Ne parlons plus du passé, veux-tu ?

— Je te jure que je m'arrangerai pour que tu puisses t'en offrir une autre...

— Vraiment ? Et comment t'y prendras-tu ?

— Je ne sais pas...

— Il n'y avait qu'une solution : obtenir la commandite de Damet. N'y pensons plus ! Maintenant, mon petit, déshabille-toi vite ! je t'attends...

Il sut l'aimer comme il ne l'avait peut-être encore jamais fait. Epuisée, satisfaite, heureuse d'avoir retrouvé en lui l'amant, elle murmura avant de s'endormir :

— Je crois que tu as raison, mon amour... Il faut que j'aille demain au *Fouquet's*...

— Dors... Nous sommes si heureux !

Elle ne revint, le lendemain, qu'à neuf heures du soir.

Il l'accueillit en disant :

— J'ai terminé la lecture de mon policier. Il est sensationnel ! Il faudra que tu le lises...

Tout en parlant, il l'avait observée à nouveau : elle semblait lasse et se laissa tomber dans un fauteuil en demandant :

— Donne-moi une cigarette...

Pendant qu'il lui offrait du feu, il dit d'un ton détaché :

— J'espère qu'il a été correct ?

L'hésitation fut nette avant qu'elle répondît :

— Oui...

— As-tu pu parler un peu de mon projet ?

— Beaucoup... Je crois qu'il te commanditerait à une condition...

— Laquelle ?

— Que je devienne sa maîtresse...

— Comment ? Je ne comprends pas... Je ne vois pas pourquoi il mettrait une condition pareille puisqu'il ne sait pas que nous sommes amants ?

— C'est de ma faute, chéri... Comme j'ignorais pratiquement tout de ton affaire, j'ai fait ton éloge... Emportée par le désir de convaincre, j'ai vanté toutes tes qualités... Brusquement, il m'a interrompue en me demandant : « Vous me paraissez vivement vous intéresser à ce garçon... Ne seriez-vous pas un peu amoureuse de lui, par hasard ? » A partir de cet instant, son attitude a radicalement changé... Il m'a laissé entendre que tu lui semblais sympathique mais que ce n'était pas suffisant pour qu'il puisse te commanditer, qu'il ne te connaissait pas assez... « Evidemment, a-t-il ajouté, si une femme telle que vous insistait pour que je finance ce Georges Vernier, je ne dis pas que je ne l'écouterais pas, à condition qu'elle sût elle-même se montrer très compréhensive à mon égard... »

— L'ignoble bonhomme ! Ça ne lui suffit donc pas d'avoir eu la chance de sortir deux jours de suite avec une jeune femme aussi merveilleuse que toi ? Il faut tout à Monsieur, absolument tout !... Eh bien, il n'aura rien parce que tu ne le reverras pas une troisième fois : c'est fini !

— Chéri, j'ai été stupide, je le sais...

— Stupide ? Tu as fait, au contraire, tout ce que tu pouvais pour m'aider...

— Tu ne m'en veux pas, alors ?

— Pourquoi t'en voudrais-je ? C'est à ce mufle que j'en veux... Les hommes sont immondes : quand ils ont de l'argent, ils se croient tout permis ! Note bien que nous ne sommes pas le premier couple, gêné financièrement, qui se trouve placé devant un pareil dilemme : ou la femme se dévoue en plein accord avec son mari qui veut bien fermer les yeux et ils sont tirés d'affaire, ou ils préfèrent ne pas donner le plus petit coup de canif à leur contrat d'amants et ils restent dans la mouise...

— Mais comment allons-nous faire pour vivre ?

— Ça, je ne sais pas...

Elle venait de remarquer deux valises, mal dissimulées derrière le rideau de la penderie.

— Quels sont ces bagages ?

— Tout ce qui me reste ! répondit-il en souriant. Les affaires personnelles que j'ai pu sauver : trois ou quatre costumes et du linge... J'ai dû laisser le reste à l'hôtel en gage, jusqu'à ce que je puisse payer la note.

— Tu en es là, mon pauvre amour ?

— J'aurais voulu te le cacher mais je me suis dit que tu me l'aurais reproché. Je t'entendais déjà me dire : « Ils ne veulent plus de toi à l'hôtel parce que tu n'as plus d'argent ? Alors, viens chez moi, Georges !

« Chez moi », n'est-il pas depuis des mois « chez nous » ? Et j'ai préféré venir avant que tu me le dises ! J'ai bien fait, n'est-ce pas ? Comme cela, nous ne nous quitterons plus, nous vivrons complètement ensemble comme un vrai mari avec sa vraie femme... C'est bien cela que tu voulais, n'est-ce pas ?

— Oui...

— A moins, évidemment, que je ne sois obligé de partir...

— Partir ? Pour où ?

— A l'étranger pour tenter de m'y refaire une situation... En France, il y a si peu de débouchés !

— Tu m'emmènerais ?

— Je ne pense pas que ce soit possible, surtout au début... Peut-être qu'après trois ou quatre années, quand j'aurai retrouvé la sûreté financière, tu pourrais venir me rejoindre.

— Trois ou quatre années ? Tu n'y songes pas ! Tu m'imagines, continuant à vivre, seule ici, sans toi ? Ce n'est pas possible !

L'idée qu'ils pourraient être séparés la bouleversait. Elle le regardait avec anxiété...

— Pourquoi me regardes-tu ainsi ? demanda-t-il.

— Parce que je préfère tout tenter plutôt que de te perdre !

— Ne dis pas de sottises, chérie... Dès demain matin, j'irai voir un ami — un vrai celui-là — qui m'a laissé entendre qu'on pourrait peut-être me donner un poste dans une affaire qui se monte au Cameroun.

— Georges, tu ne feras pas cela !

— Ma petite Agnès...

Il sortit le lendemain matin de très bonne heure, lui qui ne se levait que rarement avant midi. Il dit en partant :

— Je rentrerai tard...

Il ne revint qu'à minuit. Depuis des heures, elle l'attendait... A un moment même, elle se sentit envahir par une angoisse indicible à la pensée qu'il n'allait peut-être pas revenir. Au fur et à mesure que les heures de l'attente s'allongeaient, Agnès s'abandonnait au désespoir : elle savait qu'elle ne pouvait plus se passer de la présence de celui qui avait marqué son destin de femme. Sa sensualité naturelle, qu'elle avait refoulée pendant des années pour obéir à la morale, et que l'amour avait déchaînée, ne pouvait plus se refréner. Agnès sentait qu'elle ne pouvait plus être privée de voluptés renouvelées sans cesse, des caresses de Georges, de son contact, de sa peau. Elle avait besoin de l'amant, de l'homme...

Aussi, quand il ouvrit la porte, se précipita-t-elle, frémissante, dans ses bras en criant :

— Toi, enfin !

Et elle ajouta presque à voix basse :

— J'ai eu tellement peur que tu ne reviennes pas...

— J'avoue que j'y ai pensé... Mais je t'aime trop !

Il sut l'embrasser avec fougue.

Elle remarqua que les traits de son visage étaient tirés. Fatigue ? Amertume ?

— Assieds-toi, dit-elle. Il reste un peu de scotch : ça va te remonter...

Pendant qu'il buvait, elle s'accroupit à ses pieds, la tête appuyée contre ses genoux, comme une esclave amoureuse de son maître :

— Raconte-moi maintenant ta journée ?

— Catastrophique ! Figure-toi qu'on me trouve trop vieux pour le Cameroun...

Elle releva la tête, stupéfaite :

— Trop vieux, toi ?

— Oui... Ils ne veulent plus envoyer là-bas d'hommes ayant plus de trente-cinq ans...

Après le premier moment de stupeur, elle eut un sourire :

— Tant mieux ! Comme ça, tu resteras auprès de moi...

— Sans un franc en poche ?

— Nous allons être riches ! J'ai longuement réfléchi pendant que je t'attendais... Te souviens-tu que je t'ai parlé deux ou trois fois d'une amie à moi qui s'appelle Claude ?

— Non...

— Mais si, chéri ! Je t'ai dit qu'elle avait été mannequin avec moi l'année où j'ai débuté dans le métier...

— C'est possible... Et alors ?

— Figure-toi que j'ai appris, il y a quelques jours, par le plus grand des hasards, en parcourant un journal de mode, qu'elle venait d'ouvrir une maison de couture nouvelle... J'ai envie d'aller la voir demain...

— Ça te reprend, tes histoires de mannequin ?

— Il ne s'agit pas de redevenir mannequin, mon

amour. Je sais que tu détestais me voir faire ce métier... Et je n'en ai plus envie ! Par contre, si je pouvais m'occuper de la vente à la clientèle, ça me plairait assez... Je m'y connais suffisamment : pourquoi ne pas essayer ?

— Evidemment, vue sous cet angle, la question change... Seulement tu te fais quelques illusions si tu crois que ton ancienne camarade attend après toi ! Il doit y avoir des dizaines de filles qui l'ont connue comme toi et qui sont déjà venues la trouver !

— On ne sait jamais ! Je m'entendais très bien avec elle... J'irai la voir demain...

— Dans la situation où nous sommes, je n'ai pas le droit de m'y opposer...

Elle revint, le lendemain soir, le visage épanoui :

— Ça y est, chéri ! J'ai vu Claude... Elle a été ravie de ma visite et m'a dit que c'était le Ciel qui m'envoyait... qu'elle avait justement besoin d'avoir d'urgence auprès d'elle une femme compétente, parce qu'elle était débordée. Sa maison semble prendre une grande extension. Et sais-tu pourquoi ? Elle a eu l'intelligence de faire des prix abordables... Je commence demain à dix heures et je serai libre tous les soirs à sept heures, plus les samedis et jours de fête. Le rêve, quoi !

— Elle t'a parlé d'appointements ?

— Pour commencer j'aurai un fixe qui n'est pas très élevé mais quand même raisonnable : 80 000 francs par mois. A ce fixe, il faut ajouter un pourcentage sur les ventes que j'effectuerai. Elle m'a dit que, si je me débrouillais, je pourrais facilement atteindre dans les deux cent mille et que, si je me donnais du mal, je pourrais arriver, aux époques de pointe d'automne et printemps, jusqu'à quatre cents... Tu te rends compte ? Quatre cent mille par mois ! Nous serions sauvés ! Et pour peu qu'entre-temps tu retrouves un job qui t'en donne autant, nous serions très riches !

Il la regardait d'un air singulier, en faisant une petite moue.

— En somme, dit-il, tu viens de gagner le gros lot ?

Elle hocha la tête et fit un sourire contraint :

— Ça arrive quelquefois !

— Eh bien, conclut-il avec un haussement d'épaule, saisissons la chance, puisqu'elle se présente ! Et comment s'appelle la maison de couture de ton amie ?

— De son nom : Claude Vermand.

— Pas très connue !

— Ne t'inquiète pas : elle le sera vite !

— En somme, il ne nous reste plus qu'à souhaiter la réussite de la firme Claude Vermand.

— Exactement !

— Et quel sera ton poste officiel ?

— J'y réceptionnerai la clientèle.

— Je commence à croire, chérie, que tu peux y réussir...

Un premier mois s'écoula, au bout duquel Agnès apporta cent quatre-vingt mille francs.

— Ce n'est qu'un début, expliqua-t-elle, volubile. Le mois prochain, je ferai beaucoup plus. Ça augmentera au fur et à mesure que j'élargirai ma clientèle... Comment trouves-tu cette petite robe imprimée ?

Il souriait, l'air satisfait.

— Charmante...

— Elle vient de chez Claude...

— Pourquoi n'y a-t-il pas de griffe ? demanda-t-il, plus taquin que soupçonneux.

— Parce qu'elle me l'a passée en douce ! Tu verras que je serai admirablement habillée sans que cela grève notre budget... Je pourrai te donner intégralement tout ce que je gagnerai.

— Mais je ne t'en demande pas tant, chérie !

— Il faut nous dépêcher d'amortir tes dettes... Dis-moi la vérité : combien dois-tu encore ?

— Un million environ...

— Nous y arriverons. Ensuite, nous penserons à la voiture que je t'ai promise.

— C'est vrai, chérie ?

— Il faut que tu aies ta voiture, mon Georges ! Ça t'aidera à trouver une situation. Tu as vu dans les annonces de journaux le nombre de gens que l'on demande ayant des voitures ?

Les prévisions d'Agnès se révélèrent justes. Le deuxième mois, elle déposa sur la petite table de la mansarde trois cent mille francs, le troisième quatre cents et, dès lors, elle tint facilement cette cadence. Le quatrième, elle put demander à son amant :

— Je pense que maintenant tes dettes sont payées ?

— A peu près...

— Nous allons pouvoir économiser pour la voiture. Ça va chercher dans les combien, une décapotable dans le genre de celle que tu avais ?

— Cela dépend : neuve ou d'occasion ?

— Pourquoi pas neuve ?

— Mais chérie, tu es prise de la folie des grandeurs ?

— Non. J'estime simplement que rien n'est trop beau pour l'homme que l'on aime...

— Sais-tu que tu m'étonnes de plus en plus ?

— Je ne fais que commencer, figure-toi ! Dis-moi : combien une décapotable américaine neuve ?

— La plus indiquée pour nous serait la nouvelle *Chevrolet*. Tu les as vues : elles ont une de ces lignes ! Mais c'est très cher ; dans les deux millions et demi...

Agnès ne parut pas tellement suffoquée par le prix et se contenta de demander :

— Il faut tout payer d'un seul coup ?

— On peut obtenir des arrangements en versant des arrhes à la commande, une deuxième somme le jour de la livraison et le solde par mensualités ou par traites acceptées.

— Ce n'est pas dangereux, les traites ?

— Ça n'a rien de dangereux si on peut les couvrir quand on vous les présente... Malheureusement, dans ma situation actuelle, je ne peux pas prendre seul un risque pareil... Il faudrait que quelqu'un les avalisât...

— Ce qui veut dire ?

— Que cette personne s'engageât, au cas où je ne

60

pourrais pas faire face à l'un des paiements, à se substituer à moi.

— Je pourrais être cette personne ?

— Bien sûr... Seulement je ne veux pas t'embarquer là-dedans.

— Ne suis-je pas ta femme ?

— Oui, chérie, mais...

— Demain, nous irons verser les arrhes... Cinq cents, ça suffira ?

— Largement !

Il la regarda en faisant sa moue étonnée, et peut-être aussi quelque peu moqueuse et dubitative. Il demanda :

— Mais... Où as-tu trouvé encore cet argent ? Pas possible, tu en fabriques ?

— C'est l'une des petites surprises que je te réservais... J'ai réalisé la semaine dernière une très grosse affaire pour ma maison avec des acheteurs étrangers et j'ai touché ma commission... Demain, chéri, nous irons commander la voiture. Je t'accompagnerai uniquement pour la teinte... Que dirais-tu d'un bleu azur ?

— Ça irait bien à une blonde dans ton genre.

— « Notre » voiture sera donc bleu azur... Tu crois qu'ils seront longs, pour la livraison ?

— Je ne le pense pas : en ce moment, on ne doit pas se bousculer pour acheter des voitures pour ce prix-là !

Dix jours plus tard, un samedi, ils inaugurèrent « leur » *Chevrolet* par un week-end au Touquet. Le temps était radieux. Agnès portait un tailleur clair qui s'harmonisait à merveille avec la teinte de la voiture. Ce furent les plus belles vingt-quatre heures qu'elle eût jamais connues. Rien ne vint les assombrir à l'exception, cependant, d'une remarque de Georges pendant le trajet de retour vers la capitale :

— Ma petite Agnès, je me sens gêné...

— Un jour pareil ? Qu'est-ce qu'il t'arrive ?

— Il m'arrive que depuis des mois, c'est toi qui travailles et qui nous fais vivre. C'est humiliant pour un homme tel que moi. J'ai l'impression que ceux qui nous observent doivent penser Dieu sait quoi !

— Ils ne pensent rien du tout, mon chéri, parce qu'ils ignorent lequel de nous entretient l'autre !

— C'est bien le mot : tu m'entretiens !

— Chéri, pardonne-moi ! Je ne l'ai pas dit exprès...

— Je sais... Mais les bourgeois qui nous jalouseront d'avoir une aussi belle voiture ne se gêneront pas pour le dire exprès ! C'est ainsi que l'on flanque en l'air la réputation d'un homme !

Elle lui mit la main sur la bouche en disant :

— Tais-toi ! Quand tu le pouvais, tu m'as aidée... Je t'aime... Ne gâche pas une aussi merveilleuse journée !

Malgré la belle *Chevrolet*, elle le sentait inquiet, insatisfait, rongé, croyait-elle, par son inaction forcée. Pour peu que ce tourment caché continuât, il ferait très vite de la dépression nerveuse. Et cela la jeune femme ne le voulait pas. Elle ne voulait pas non plus connaître une nouvelle interruption dans leurs relations amoureuses.

Elle eut le sentiment qu'elle commençait à aimer l'homme avec son cœur... Ce nouvel aspect de l'amour, elle le comprenait aujourd'hui, n'était en réalité chez elle qu'une forme déguisée de la pitié. Elle était partagée entre le besoin de servir son amant et le besoin de le sentir à elle. D'une part, elle était persuadée d'affirmer son règne sur l'homme en le protégeant, en le faisant vivre ; de l'autre, elle trouvait une jouissance complémentaire à être son esclave.

— Chéri, lui dit-elle en rentrant de leur équipée au Touquet, maintenant qu'il n'y a plus de dettes et que le paiement de la voiture est assuré, que dirais-tu si nous reprenions ton idée de gérance d'un snack-bar ? Ça ne m'empêcherait pas de continuer, dans la journée, à gagner de l'argent dans la couture, pendant que toi tu serais au snack... Je viendrais t'y rejoindre le soir, vers sept heures, au moment du coup de feu du dîner et, ensuite, pour la sortie des spectacles...

— C'est assez étrange, ce que tu me dis... J'y pensais justement hier. Ah, toi, on peut dire que tu es vaillante ! Et tu as de la suite dans les idées.

— Combien faudrait-il pour obtenir une gérance pareille ?

— Au moins trois millions...

— Ce n'est pas terrible ! Dans deux mois, nous aurons fini de payer la voiture et mes rentrées mensuelles continueront. Nous n'avons pratiquement pas de frais de loyer. Nous pourrions donc disposer très vite de l'argent nécessaire en faisant des versements échelonnés... A ta place, je profiterais des loisirs que tu as en ce moment pour bien me renseigner, pour repérer les endroits de Paris qui me paraîtraient les meilleurs pour l'installation du snack et même pour prendre contact avec des propriétaires de cafés un peu tombés mais bien situés...

— Je crois, ma petite Agnès, que si je ne t'avais pas à mes côtés pour me remonter le moral...

— C'est fini les idées noires ? N'es-tu pas heureux ? Tu es intelligent et fort, tu es le plus merveilleux des amants, tu as une femme qui ne fait que te désirer, tu as une belle voiture et nous ne sommes plus sur la paille... Qu'est-ce qu'il te faut de plus ?

— Tu as raison : j'ai tout... Et je vais suivre ton conseil : dès demain, je me mets à la recherche de « notre » snack... Sais-tu comment nous l'appellerons ? « *Chez Agnès et Georges* » !

Le même soir, il rentra boulevard de Courcelles rayonnant :

— Chérie, je crois que j'ai trouvé l'endroit idéal pour installer un snack-bar... C'est un café dont le patron est âgé : il est tout prêt à passer la main... Seulement, je crains que ce ne soit un peu plus cher que je ne le pensais : il faudra compter deux millions de plus... Mais quel emplacement !

Elle répondit, souriante :

— Je sais que tu vas réussir, mon Georges... Je suis tellement heureuse de te voir radieux !

A l'évocation de cette période fiévreuse que dominait une croissante avidité d'argent, Agnès fut envahie d'un accès de fièvre. Le sang lui battait les tempes, elle se sentait le visage tout empourpré et regardait si nul dans la chapelle ne pouvait voir la rougeur brûlante répandue sur son front comme un mal éruptif et qui dénonçait sa honte. Mais elle était maintenant seule et les sacristines étaient parties.

Cette avidité forcenée était devenue telle qu'Agnès ne pensait plus à rien d'autre qu'à « faire de l'argent », à rapporter des liasses de billets, à les étaler sous les yeux de Georges qui, toujours maître de lui, accueillait cette manne avec un contentement nonchalant. Il semblait que l'abondance de bien eût apaisé ses scrupules, et que sa conscience, à partir d'un certain chiffre, se trouvât comme éblouie et acceptât de se taire.

Agnès le regardait parfois en se demandant s'il ne s'étonnait point, en lui-même, de voir progresser si vite et si merveilleusement ses talents de « femme d'affaires » ; mais il savait si bien l'en féciliter — c'était le cas de le dire, car elle nageait dans le bonheur — qu'elle ne pensait pas plus avant et s'activait entre l'amour et les affaires.

Quand les millions nécessaires pour le snack-bar furent acquis, Georges déclara :

— Je crois que c'est une folie de nous lancer dans cette affaire. Il y a beaucoup trop de snack-bars à Paris ! On en voit surgir à tous les coins de rue ! Ne penses-tu pas qu'il serait préférable de continuer à accumuler de l'argent pour pouvoir acheter un appartement ? Ne sommes-nous pas comme tant de couples qui attendent d'avoir trouvé un logement convenable pour se marier ?

Le seul mot de mariage fit briller de joie les yeux d'Agnès qui n'avait jamais renoncé à l'espoir de régulariser sa situation. N'était-ce pas aussi le moyen le plus sûr de s'attacher complètement l'homme qui satisfaisait ses sens ? Et, plus elle lui rapportait d'argent, plus la conviction qu'elle lui était, elle aussi, indispensable, augmentait. Aussi fut-ce avec enthousiasme qu'elle adopta l'idée de travailler pour payer le bel appartement de rêve... Ce n'était plus une moyenne de quatre cent mille, mais de six cent mille et parfois plus qu'elle réussissait à rapporter chaque mois.

Malgré son acharnement, il fallut une nouvelle année pour que le complément nécessaire à l'achat de l'appartement fût enfin dans les mains de Georges. Alors, on atteignit enfin un résultat : il acheta un luxueux trois-pièces, situé à un septième étage de la rue de la Faisanderie et qui comprenait, en plus du vestibule d'entrée, un vaste studio dominant les arbres du bois de Boulogne, un boudoir et une chambre à coucher. Ce fut lui qui se chargea de tout l'aménagement et de la décoration avec une sûreté de goût qui éblouit Agnès. Décidément, son amant avait toutes les qualités : le calme, l'élégance, le goût, l'autorité, la virilité.

Ils décidèrent de pendre la crémaillère un des derniers jours de septembre : l'air était encore tiède et les fenêtres pouvaient rester grand ouvertes sur un bois de Boulogne qui portait une parure où dominait un or très doux. Agnès rayonnait. Elle avait demandé à Georges l'autorisation d'inviter « sa grande amie Claude Vermand », la patronne de la maison de couture où elle gagnait tant d'argent...

En l'entendant exprimer ce désir, Georges s'était d'abord montré méfiant mais, après un temps d'hésitation, il avait acquiescé avec le sourire. Il saurait se montrer charmant avec la grande patronne.

Agnès lui réservait encore une surprise qu'elle ne lui annonça qu'au dernier moment.

— Chéri, pour l'équilibre de la table, il fallait un quatrième convive ; devine à qui j'ai pensé ?

Il se rembrunit et son visage se durcit.

— Quelqu'un dont la visite te fera un grand plaisir. Nous lui devions bien cela, d'ailleurs.

— Je ne vois pas... dit-il.

— Tu as oublié celle qui nous a présentés l'un à l'autre ?

Ce fut presque en balbutiant qu'il prononça le prénom :

— ... Suzanne ?

— Suzanne ! Oui, chéri ! Figure-toi que je l'ai rencontrée par le plus grand des hasards hier, aux Champs-Elysées... Je traversais un passage clouté et elle était en auto — une ravissante petite voiture de sport verte ! Je ne l'avais même pas reconnue derrière son volant, c'est elle qui m'a appelée...

— Elle ?

— Mais oui. Elle m'a dit de monter dans sa voiture et nous avons été prendre toutes deux un drink dans un bar.

— Quel bar ?

— Je ne sais plus le nom, mais c'était rue Marbeuf.

Il devenait très attentif.

— Qu'est-ce qu'elle t'a raconté ?

— Qu'elle était très heureuse... Elle a un ami.

— Et que fait-il ?

— Je ne sais pas... Mais elle doit être bien entretenue : elle était très élégante et elle a une belle voiture, une *M.G.*, m'a-t-elle dit.

— Vraiment ? Et toi, qu'est-ce que tu lui as dit ?

— Que j'avais un ami, moi aussi... Et que je l'adorais ! J'ai ajouté qu'elle connaissait cet ami puisque c'était toi ! Je l'ai remerciée de nous avoir présentés l'un à l'autre... Elle m'a paru très heureuse d'apprendre que nous vivions ensemble depuis ce temps-là et que nous nous aimions... Elle m'a même demandé : « Pourquoi ne vous mariez-vous pas ? » Je lui ai répondu : « Il y a longtemps que nous y songeons. Mais il fallait d'abord que nous trouvions un appartement. Maintenant, nous l'avons et nous faisons demain notre pendaison de crémaillère... Au fait, pourquoi n'y viendrais-tu pas Suzanne ? Ne serait-ce pas merveilleux de nous retrouver tous les trois après deux années ? » Si tu l'avais vu sourire quand elle m'a répondu : « Tu as raison, ma petite Agnès... Ce sera encore plus charmant pour moi que pour toi. » Quelle gentille fille, cette Suzanne ! Je me suis sentie très coupable de ne pas lui avoir donné signe de vie plus tôt... N'a-t-elle pas été à la base de notre bonheur ? Dis-moi que j'ai bien fait de l'inviter ?

— Tu es sûre qu'elle viendra ?

— Pourquoi veux-tu que j'en doute ? Elle a accepté avec enthousiasme en me disant qu'elle aurait un immense plaisir à te revoir et à connaître notre nid d'amoureux...

— Elle a dit ça ?

— Oui... Ça t'étonne ?

— Euh...

— Je lui ai fait comprendre que, naturellement, elle pouvait amener son ami si cela lui faisait plaisir. Elle m'a répondu qu'il ne pourrait malheureusement pas venir avec elle : il voyage à l'étranger.

— Dommage !

Il restait songeur.

— Qu'est-ce que tu as, chéri ?

— Moi ? Rien...

On venait de sonner à la porte du vestibule.

— C'est sûrement elle !

Elle courut ouvrir pendant qu'il allumait une cigarette. Sa main droite tremblait légèrement en maniant le briquet.

Ce n'était pas encore Suzanne mais Claude Vermand.

Les présentations furent faites. Agnès s'empressa :

— Que puis-je t'offrir, Claude ?

— Un jus de fruit, si tu en as... Tu sais bien que je suis anti-alcool.

Georges, qui avait minutieusement observé la nouvelle venue, lui demanda alors sur un ton où il sut faire passer toute l'amabilité du monde :

— Je tiens à vous dire que je suis enchanté de

vous connaître... Depuis le temps qu'Agnès me parle de vous ! Et je dois d'abord vous remercier pour la situation que vous lui avez donnée...

Claude, très sûre d'elle-même, eut une courte hésitation avant de répondre :

— Mais c'est tout naturel ! Agnès est une amie.

Un nouveau coup de sonnette retentit.

— C'est Suzanne ! s'écria Agnès en se précipitant à nouveau dans le vestibule.

C'était bien Suzanne, cette fois.

Une Suzanne qui s'avança, épanouie et suave, vers l'amant d'Agnès en disant :

— Georges ! Quelle joie de vous revoir enfin !

Pendant un dixième de seconde, le regard de l'homme eut une lueur d'acier mais, presque aussitôt, il redevint paisible, rieur même, tandis qu'il répondait :

— Pour moi Suzanne, c'est plus qu'une joie : une étonnante surprise... Que devenez-vous ?

— J'aime... N'est-ce pas une occupation suffisante ?

— Chérie, dit Georges à Agnès, tu manques à tes devoirs de maîtresse de maison ! Tu n'as pas encore fait les présentations entre nos deux amies...

— Claude Vermand ? Mais c'est une vieille connaissance, à moi aussi, fit Suzanne très à l'aise.

— En effet... quand nous étions toutes trois mannequins...

Il y eut un éclat de rire des trois femmes qui commencèrent à évoquer des souvenirs.

La soirée se passa fort bien. Entre les trois femmes et leurs bavardages, un Georges aimable et mondain faisait les honneurs de la table, passait les plats, versait du champagne, toujours galamment attentif.

Il n'hésita pas à dire à Agnès après le départ des belles invitées :

— C'était très réussi. J'ai trouvé que ton amie Claude avait grande allure : c'est sûrement une femme de tête.

— Je suis contente qu'elle te plaise, chéri... Et Suzanne ? Comment l'as-tu trouvée, depuis le temps où tu ne l'avais pas revue ?

— En pleine forme ! Il y n'a qu'une chose qui m'ennuie chez elle : cette excellente fille est devenue terriblement commune !

— Tu crois ?

— Ça crève les yeux ! Tout est vulgaire en elle : la voix, la démarche, le rire, la manière de fumer... Dommage ! Autant je trouve parfait que tu continues à travailler avec Claude, autant ça m'ennuierait de te voir redevenir l'amie de Suzanne... La camaraderie, ça allait bien au temps où vous étiez mannequins, mais continuer de la voir serait une erreur. Suzanne n'est plus une relation pour toi !

— Tu m'en veux de l'avoir invitée ?

— Non. Tu as bien fait : comme tu l'as dit très justement, nous lui devions ça pour la remercier de nous avoir présentés l'un à l'autre... Mais maintenant que nous nous sommes acquittés de cette petite dette de reconnaissance, mieux vaut l'abandonner à son destin. Qu'elle nous laisse tranquilles !

Deux jours plus tard, Agnès venait de quitter son domicile pour se rendre à ses occupations. Quand elle héla un taxi, à la porte Dauphine, elle ne remarqua pas qu'une *M.G.* verte la suivait... Ce ne fut que place du Trocadéro que la petite voiture la dépassa. La conductrice freina, l'attendit et lui demanda :

— Où vas-tu ?

Agnès se souvint de la recommandation de Georges. Elle répondit :

— A ma maison de couture... Je suis déjà très en retard...

— Je vais te déposer... Ça nous permettra de bavarder un peu en chemin.

Et, avant qu'Agnès ait eu le temps de réagir, Suzanne avait fait signe au chauffeur de taxi de s'arrêter le long du trottoir. La *M.G.* était à côté du taxi. Suzanne tendit un billet au chauffeur en disant :

— Payez-vous et gardez la monnaie...

Elle ouvrit ensuite la portière basse du roadster en ajoutant à l'intention de « son » amie :

— Monte !

Le ton était ferme, c'était plus qu'une invite. Quelques instants plus tard, la voiture verte repartait en emportant les deux « amies »...

Suzanne parla aussitôt :

— Ça t'absorbe beaucoup, ce travail chez Claude ?

— Terriblement...

— Tu as bien cinq minutes pour prendre un café avec moi ?

— Je t'assure que non...

— Allons ! Ne mens pas ! Je connais Claude mieux que toi : elle ne s'apercevra même pas de ton petit retard...

— Suzanne, tu vas me faire avoir des histoires !

— Quelles histoires ?... En fait d'histoire, je vais t'en raconter une qui va t'intéresser prodigieusement... Nous allons au même endroit qu'avant-hier : nous y serons tranquilles.

Trois minutes plus tard, elles étaient assises à une table isolée du bar de la rue Marbeuf.

A ce point du déroulement de ses souvenirs, Agnès se sentit prise d'un malaise et faillit perdre connaissance. Où frappaient ces coups qui retentissaient en elle et dont elle était comme martelée ? Dans sa poitrine ou dans sa tête ? Et chacun de ces coups répétait un nom bref, mais monstrueux qui, sous la voûte de la chapelle, s'amplifiait en des échos démoniaques : Bob !... Bob !... Monsieur Bob !...

— Ah, ricanait Suzanne au fond de la salle du bar, tu te figurais qu'il était à toi, ton Georges ? Tu te figurais qu'il s'appelait Georges ? Eh bien ! non : c'est Bob, et c'est « mon Bob » à moi !... Au fond, je ne suis même pas bien sûre qu'il soit à moi ni qu'il puisse être ou à l'une ou à l'autre : il n'est à aucune, c'est un maître, un caïd, as-tu compris ? C'est « Monsieur Bob » !

Une Suzanne déchaînée avait étalé l'infamie de sa propre vie, celle du prétendu Georges Vernier et celle où Agnès était descendue sans en avoir conscience. Et la vulgarité de cet étalage monstrueux aujourd'hui encore écœurait Agnès, et d'autant plus qu'elle l'évoquait en un lieu où tout rappelait le désintéressement, le sacrifice, la charité, le véritable et pur amour.

— Alors, tu t'imagines que lorsque je t'ai présentée à lui, c'était en tout bien tout honneur ? Depuis deux ans, j'étais sa « régulière » ; mais ça ne suffisait pas à monsieur. J'avais beau m'activer, je ne rapportais pas assez ! Quand il m'a imposé de me chercher une adjointe, un ancien mannequin comme moi — c'est le genre qu'il aime — j'ai pensé à toi. Ça n'a pas fait trop de difficulté, tu t'es donnée comme une fleur... Il t'a tout de suite appréciée. Il m'a dit : « Elle a de l'étoffe, mais il va falloir l'amener doucement au truc, sans qu'elle s'en doute, sinon elle nous glisserait dans les doigts. Ça va coûter cher, son éducation. » Et c'est vrai, ma fille, que tu nous a coûté chérot : j'en sais quelque chose, puisque c'est moi qui procurais le fric ! Comment auriez-vous vécu tous les deux, dans votre « nid d'amour », si je n'avais pas assuré la relève ? « Je te revaudrai ça plus tard, roucoulait-il, c'est elle alors qui travaillera pour toi. Tu seras toujours ma vraie ! » Il t'en a fait du baratin ! Quand ça a marché, avec le Rouennais — un client idéal pour une débutante — il avait le sourire : « Elle est en mains, mais, bon sang ! qu'est-ce qu'il a fallu lui raconter à la « découverte » pour qu'elle fasse son premier faux pas ! La ruine, le Cameroun, toute la grande scène ! Mais ça vaut la peine : c'est une fille à lancer dans le meilleur monde. Je la vois très bien faisant les Champs-Elysées dans une honnête petite voiture, élégante d'ailleurs, quelque chose comme une *Aronde* et levant des clients huppés ! »

« C'est à ce moment que j'ai commencé à être jalouse de toi. Je lui disais : « Et moi, c'est à pied que tu me laisses ? — Non, me répondait-il, tu auras aussi ta petite bagnole, plus provoquante que la sienne. Dans ton genre, quoi ! Qu'est-ce que tu dirais d'une *M. G.* ? » Et c'est comme ça que je l'ai eue, ma *M.G.* verte, quand il t'a donné ton *Aronde*... Il pouvait bien nous offrir ces voitures ; tu commençais à rapporter pas mal. Bob me racontait tes finasseries : « Figure-toi que la môme Agnès est censée travailler dans une maison de couture : chez Claude Vermand. Une situation du tonnerre ! Des quatre à cinq sacs par mois, du jour au lendemain, et comme par enchantement ! » On rigolait de tes bobards. « Que veux-tu, disait-il, elle tient à garder son prestige de femme honnête aux yeux de l'honnête Georges Vernier ! Je dois ignorer qu'elle couche avec d'autres. Elle se soucie même à ce point de sauver les apparences qu'elle passe de temps en temps rue Lord Byron, à la maison de couture Claude Vermand : ça, c'est l'alibi. Elle a mis dans le coup son ancienne copine. La Claude Vermand a d'ailleurs une réputation qui m'incline à croire qu'elle n'a rien à refuser à une belle fille comme l'est Agnès... »

« Quand je pense que tu t'imaginais le faire marcher ! Tu ne connais pas cet homme ! Lui, se laisser berner par une apprentie ? Mais il voit tout, il sait tout ! Il a compté tous les hommes que tu as faits, il connaissait les tarifs, on faisait tes comptes ensemble. Il disait : « Ça ne va pas mal. Elle rapporte bien. Et, dans l'état de neuf où elle se trouve, elle rapportera longtemps. C'est une fille qui vaut gros. D'ici quelque temps, quand je l'aurai tout à fait affranchie, je lui donne un nom de guerre : Irma, ça lui ira bien. »

« Je lui demandais : « Tu ne vas pas te mettre à l'aimer ? » Il me répondait non, qu'il avait horreur des maniérées de ton espèce et qu'il préférait mon genre.

« Figure-toi que dans l'intimité, il m'appelle Suzon. Quand j'entends cet homme-là — un seigneur avec son physique, ses tempes grisonnantes, son allure d'homme du monde — m'appeler Suzon, « sa » Suzon, j'en frissonne de bonheur. Même si ça n'est que pour me demander mon fric. Il a une manière de dire : « Suzon, donne ! » que je lui aligne tout le contenu de mon sac à main, en regrettant de n'avoir pas plus à offrir. S'il exige davantage, s'il me met à l'amende, je me débrouille, je trime, j'emprunte aux copines à l'occasion, et j'aligne aussi l'amende et tout ce qu'il veut. Quand il m'administre une correction, je grogne mais j'encaisse et je l'aime toujours autant. Ça, ma fille, ça s'appelle avoir un homme dans la peau. Bob ! mon Bob !... »

Agnès entendait encore la voix de Suzanne, ses stridences contenues, pour ne pas trop attirer l'attention des consommateurs du bar, et son trémolo de fille bestialement amoureuse, quand elle parlait de « son » Bob. Mais, elle-même, Agnès, était-elle sûre d'être tout à fait d'une autre chair que cette fille soumise ? De ne pas connaître le même sort ? De ne pas s'attacher aussi bestialement au même seigneur et maître ?

Elle enfouit son visage dans ses mains et se mit à sangloter.

Crispée d'horreur et de remords, elle sursauta soudain. Une main lui effleurait l'épaule pendant qu'une voix murmurait dans la chapelle :

— Avez-vous besoin de moi, mon enfant ?

Elle releva la tête et répondit, reconnaissant celui qui venait de parler avec une grande douceur :

— Non, M. l'aumônier...

— Pourtant, mon enfant, vous semblez avoir beaucoup de peine ? Vous savez combien nous vous aimons et vous estimons tous ici. Comme cette chère Sœur Elisabeth, vous faites partie de notre grande famille.

— Merci de me dire ces choses, M. l'aumônier, mais je crois que personne ne peut rien pour moi !

— Ne prononcez pas de telles paroles dans la maison de Dieu !

Il désigna le tabernacle :

— Il est là plus que partout ailleurs ! Et j'ai confiance : si vous êtes venue vous agenouiller devant Lui, c'est que vous savez qu'Il est le suprême consolateur... Dieu peut tout pour vous !

Le visage baigné de larmes, elle répondit :

— Lui aussi m'a abandonnée !

— Ne serait-ce pas plutôt vous qui auriez oublié Sa loi ? Pourquoi ne pas vous confesser ?

— Non, M. l'aumônier ! Je ne pourrais pas...

— Ce n'est pas moi qui vous entendrais, mais Dieu... Et vous ne lui apprendriez rien : Il sait déjà tout ! Ce qu'Il vous demande, c'est de faire acte d'humilité...

Elle baissait toujours la tête sans répondre.

— Je reste à votre disposition, mon enfant... Continuez à prier : c'est ce que vous avez de mieux à faire...

Il partit dans la direction de la sacristie. Un moment, elle faillit quitter sa place et courir après la soutane qui s'éloignait lentement ; elle faillit crier :

— « M. l'aumônier, je vais tout vous dire ! »

Mais elle ne trouva pas le courage de l'aveu et elle demeura figée, ne pensant plus qu'à une autre confession : celle que Suzanne avait commencée dans le bar de la rue Marbeuf et continuée, pendant qu'elle la ramenait rue de la Faisanderie, dans la *M.G.* qui roulait doucement...

— Je comprends le choc que tu viens de ressentir, avait dit alors la fille rousse. C'était cependant mon devoir de te révéler la vérité. Je ne le fais pas sans danger : après votre pendaison de crémaillère, où je suis venue sans son autorisation, il m'a formellement interdit de te revoir. Et une interdiction de Bob, cela ne se viole pas sans des risques graves... Il peut me tuer s'il apprend que je t'ai mise au courant, mais je n'ai pas pu me taire.

« Maintenant, tu es libre d'agir comme tu voudras mais si je peux te donner un conseil, c'est de te libérer de lui sans rien dire de ce que tu sais : il n'hésiterait pas à te faire disparaître, toi aussi... Le mieux pour toi serait de partir tout de suite pour l'étranger. Je peux t'aider et je te jure qu'il ne saura jamais où tu t'es réfugiée...

Agnès dut faire un gros effort pour répondre :

— Tu dois avoir raison : je n'ai plus qu'à m'enfuir... Et toi, qu'est-ce que tu deviendras ?

La fille rousse la regarda avec étonnement :

— Après la façon dont je me suis conduite à ton égard tu te préoccupes encore de savoir ce qui pourrait m'arriver ?

— On m'a appris dans ma jeunesse qu'il ne faut pas rendre le mal pour le mal. C'est à peu près l'une des seules choses belles que je n'aie pas oubliées... Pour moi, tu n'es qu'une malheureuse...

— Et toi ?

— Moi ? Si le mot n'avait pas, dans mon cas, une signification plus ridicule que pitoyable, je croirais que je ne suis qu'une victime... Mais je n'ai même pas le droit de le penser... Je n'ai que ce que je mérite : tout est de ma faute ! Je n'aurais pas dû aimer...

— Ne dis pas ce mot-là ! Tu n'as jamais aimé Bob ! Tu te l'imagines ! Tu as besoin de coucher avec lui, c'est tout ! On ne peut pas aimer un homme pareil ! On a seulement besoin de lui physiquement, et c'est pourquoi on fait toutes les bêtises !

— Toi aussi, tu les as faites !

— Avant toi ! C'est exact.

— Tu es encore prête à faire n'importe quoi pour lui !

La fille rousse ne répondit pas. Agnès continua :

— Ce n'est que parce que tu ne peux pas te passer de lui que tu m'as tout dit. Je n'ai été qu'une sotte, je le reconnais, mais je ne le suis quand même pas assez pour croire que tu n'as agi que pour libérer ta conscience. A force de vivre avec lui, on n'a plus de conscience ! On perd la notion de tout, on ne pense plus qu'au moment où il vous prendra...

— Oui c'est vrai, répondit Suzanne d'une voix rauque. C'est ainsi que je l'aime... Comme toutes celles qui l'ont connu l'ont aimé ! Si tu savais comme je le méprise à certains moments et comme je me fais horreur ! Mais c'est plus fort que moi : il me le faut ! Alors, depuis des années, j'ai tout accepté. Absolument tout ! J'ai fait tout ce qu'il a exigé : même lui trouver une autre femme qui est toi ! Tu ne peux pas comprendre combien j'ai souffert à la pensée qu'il vivait intimement avec toi et que je n'étais plus bonne que pour les rares faveurs qu'il voulait bien m'accorder ! Pendant des heures, je l'attends sur un tabouret de bar... Parfois il ne vient pas et ça se termine par un coup de téléphone : « Je ne peux pas te voir, je vais à Longchamp. » C'est tout : il a déjà raccroché ! Quand je pose l'appareil à mon tour, je n'ai même plus la force de lui en vouloir... Et je continue à espérer que je le verrai le lendemain ! Je retourne à la rue en me disant que si je lui procure un gros paquet, il se décidera peut-être à me satisfaire... C'est horrible ! Je suis là, comme une loque, prête à quémander humblement la moindre de ses caresses... Le plus souvent, il me rejoint, pour ne rester que cinq minutes, juste le temps de recueillir la recette... Et j'accepte ! C'est ça, l'amour vrai ! Quand tu en seras là, ma petite, si tu y arrives, alors, toi aussi, tu pourras te dire que tu l'as dans la peau !

La fille rousse se tut un instant. Sa voix se fit plus douce pour dire :

— Je te laisse. Mais tu ne vas pas faire de bêtise, petite idiote ! Dis-toi bien qu'il n'y a pas un homme au monde qui vaille la peine qu'on se sacrifie pour lui ! Moi je l'ai fait et tu vois où j'en suis ! Mais toi, tu peux encore t'en sortir... Tu es jeune, tu es belle, tu as jeté ta gourme, tu as compris... Tu peux très bien refaire ta vie ailleurs... Pars quand il en est encore temps ! Et laisse-moi Bob ! C'est tout ce qui me reste : mon plaisir...

Agnès descendit de la voiture sans répondre. De douce la voix de Suzanne devint rageuse :

— Mais dis quelque chose ?

Et comme « son amie » restait toujours silencieuse, elle murmura dans un souffle :

— Toi aussi, il a su te prendre ! Tu es fichue, ma petite ! Comme moi, tu accepteras tout ! Si seulement tu pouvais l'entendre parler de toi et savoir ce qu'il pense de ton intelligence !

— Qu'est-ce que ça peut faire, au point où j'en suis ?

— Bientôt, quand il en aura assez de vivre avec toi il fera comme avec moi : il te chargera de trouver ta remplaçante... Et tu obéiras en te disant que tu préfères cela plutôt que de le perdre tout à fait !

Il s'installera avec elle et ce seront tes gains, ajoutés aux miens, qui lui permettront de faire ce qu'il appellera « son éducation » ! Tu trouveras ça très bien : tu te résigneras... Après cette nouvelle fille, il y en aura une autre qui la balaiera ! Tu ne comprends donc pas qu'avec lui, c'est la chaîne sans fin ? Toi et moi, nous continuerons à faire partie de son cheptel : de temps en temps, nous aurons droit à ses faveurs... Jusqu'au jour où nous ne serons plus capables de lui rapporter assez ! Alors, je te jure qu'il ne perdra pas de temps pour nous laisser tomber sans nous assurer de retraite, ni même un lit d'hôpital. C'est cela, ton rêve ?

— Assez, Suzanne !

— Ça t'embête, la vérité ? Seulement ça ne se passera pas ainsi, parce que je ne le veux pas ! Depuis le premier jour où j'ai été « sa » femme, j'ai décidé que je finirais ma vie avec lui ! Alors, si tu t'entêtes à rester, il faudra que l'une de nous disparaisse... Ce sera toi ! C'est pourquoi il vaut mieux que tu partes tout de suite... Une dernière fois, je t'offre mon aide même si tu crois que je ne suis pas capable de le faire... Si tu m'écoutes, ça pourra aller très vite ! Tu seras loin d'ici dans quarante-huit heures.

Blême, Agnès répondit :

— Je ne sais pas !

Suzanne embraya rageusement, laissant « son amie » seule, sur le trottoir.

Agnès revivait maintenant l'heure solitaire qu'elle avait passée à essayer de reprendre pied, de comprendre, après le coup de massue qu'elle avait reçu.

Elle allait devant elle, sans même savoir où. Sa marche était aussi incertaine que ses pensées. Son cerveau s'était à la fois vidé de tout ce qu'il avait échafaudé depuis l'instant où elle avait rencontré l'amant, et rempli de la monstrueuse vérité qu'elle venait d'apprendre.

Au moment de la conversation dans le bar, elle avait cru que ce que disait Suzanne était faux et que la fille rousse inventait un roman pour troubler le bonheur de celle qu'elle jalousait. Elle pensait que Suzanne ne pouvait pas lui pardonner d'avoir su s'attacher Georges et de l'avoir rendu heureux. Mais, peu à peu, au fur et à mesure que la fille avait continué à parler, donnant précisions sur précisions, Agnès avait fini par comprendre que, pour la première fois de sa vie peut-être, celle qui s'était naguère déclarée « son amie » et même « sa grande sœur » ne lui mentait pas. Et, dans le cœur sincère de celle qui n'avait été qu'une amante aveugle, un affreux dégoût remplaça la stupeur.

La vérité était effarante : celui, pour qui elle n'avait pas hésité à se prostituer, s'était odieusement moqué d'elle depuis le premier jour. Tout avait été faux : le soi-disant hasard de leur rencontre, l'identité de l'homme qui n'était qu'un sinistre « Monsieur Bob », son travail dans des affaires d'import-export imaginaires, ses difficultés financières, son désespoir de ne pouvoir trouver une situation, sa supercherie d'amour enfin... C'était cela surtout qu'elle ne pouvait pardonner. Peut-être aurait-elle admis, tellement elle avait besoin de ses caresses, qu'il l'eût trompée sur tout, mais non dans ce dernier domaine qui, pour elle, était sacré.

Elle frémissait aussi à la pensée que le personnage avait continué l'odieuse comédie de faire semblant de croire que sa compagne travaillait dans une maison de couture alors qu'il savait, depuis le premier après-midi où elle était retournée voir Damet, qu'elle gagnait tout cet argent en se vendant. Et Monsieur Bob avait pris l'argent très naturellement, comme il avait continué à recevoir celui que rapportait Suzanne. Elle se sentait non seulement bafouée, mais couverte de ridicule à l'égard d'un Bob et de sa complice Suzanne... Suzanne qui lui avait tout raconté dans un long cri de haine uniquement parce qu'elle continuait à ne pas pouvoir se passer de celui dont elle connaissait cependant, depuis longtemps, et admettait avec soumission, le véritable rôle.

Mais Agnès avait-elle le droit de la juger ? Elle se demandait avec angoisse si elle n'allait pas bientôt faire comme elle ? Et cependant, une telle idée la révoltait : se pouvait-il qu'une femme continuât à désirer un homme, sachant qu'il n'est qu'un souteneur et que ses caresses ne sont qu'un moyen calculé de maintenir dans sa dépendance celle qui n'est plus pour lui qu'une machine à produire de l'argent ? Les prédictions de Suzanne sur l'avenir qui l'attendait, si elle restait avec l'homme, étaient certainement vraies. L'aveu même de la fille rousse, reconnaissant son asservissement à l'homme avait quelque chose d'atroce qui donnait envie de la plaindre. Un jour viendrait peut-être où ce serait elle, Agnès, qui deviendrait à son tour un sujet de pitié...

La jumelle d'Elisabeth était loin encore de comprendre qu'une Suzanne — et, avec elle, des milliers d'autres femmes — en arrivent même, à force d'avilissement sensuel, à se complaire dans l'idée que leur amant est un souteneur. Cela dépassait son entendement mais elle sentait aussi qu'il lui faudrait une volonté surhumaine pour parvenir à s'arracher à l'emprise tenace du plaisir.

Elle ne parvenait pas non plus à reconstituer l'enchaînement qui l'avait amenée, par degrés, — sans que l'homme ait eu même à le lui demander — à exercer le même métier qu'une Suzanne ? Pour peu qu'elle cherchât à se poser vraiment la question, elle deviendrait folle...

Le hasard de sa marche désespérée l'avait ramenée, sans qu'elle l'eût vraiment voulu, chez elle... Ce « chez elle » lui parut bien dérisoire, au moment même où elle introduisit la clef dans la serrure.

C'était elle seule qui avait payé cet appartement, grâce aux millions si mal acquis par elle, mais l'achat en avait été fait par M. Bob qui en était légalement l'unique propriétaire. Rien, ni les murs ni le mobilier n'avaient été « officiellement » payés par Agnès, si bien que « Monsieur Bob » pouvait la mettre à la porte du bel appartement quand il le voudrait puisqu'ils n'étaient pas mariés.

Il en était de même pour l'*Aronde*, dont la carte grise avait été établie au nom de l'homme. L'appartement, la voiture, l'argent... Malgré ce pactole, qui lui était passé entre les mains, elle n'avait pas, non plus, d'argent ! Régulièrement, à la fin de chaque mois, elle avait remis à celui qu'elle considérait comme son époux tout ce qu'elle avait honteusement gagné. Les seules sommes qu'elle avait déduites de ces règlements ponctuels avaient servi à renouveler sa garde-robe, car il fallait rester une femme élégante, pour son métier...

Sur tout cet argent, le souteneur n'avait jamais prélevé la moindre somme pour lui offrir un cadeau personnel : elle ne possédait que des bijoux de pacotille.

Effondrée, n'ayant pas encore pu prendre complètement conscience de la profondeur de l'abîme dans lequel elle s'était laissé couler, elle s'affala dans un fauteuil de ce living-room qui lui faisait maintenant horreur comme tout le reste de l'appartement. Anéantie, elle n'avait même pas la force d'allumer une cigarette. Combien de temps dura sa prostration ? Ce fut le léger grincement d'une clé tournant dans la serrure du vestibule qui la sortit de sa torpeur : elle comprit que l'homme venait de rentrer... Elle aurait voulu s'arracher au fauteuil, se redresser pour lui jeter à la face tout son mépris, tout son dégoût ; mais elle sentait que ses jambes la trahiraient et qu'elle s'écroulerait aux pieds de celui qui savait être son maître.

— Qu'est-ce que tu fais là ? demanda-t-il en pénétrant dans le living-room.

Elle restait hébétée, incapable de répondre.

— Chérie, poursuivit-il de sa voix calme dont la

douceur même — pour la première fois — parut odieuse à Agnès, tu ne te sens pas bien ?

— ... Pas très bien, en effet, « Monsieur Bob » !

Il eut un léger haut-le-corps, mais il se remit très vite. Son visage se durcit. Il s'approcha d'elle, la regarda fixement :

— Et alors ?

Pour la première fois, Agnès vit le vrai visage de l'homme et il lui fit horreur.

Il y eut un silence. Il ajouta :

— C'est tout ce que tu as à me dire ?

— Va-t'en !

— Moi ? Et pourquoi ?

Les yeux clairs le regardaient avec une fixité effrayante qu'il ne leur avait jamais connue et dans laquelle passaient des lueurs de folie :

— Tu oses le demander ?

— Et toi, tu t'es permis de me le dire ! Tu sais bien que je suis chez moi.

Elle s'effondra, accablée. Il reprit :

— Je vais faire un tour... Ça te permettra de réfléchir... Seulement je tiens à te prévenir que je n'aime pas beaucoup les scènes de ménage... C'est la première que tu me fais, ce sera la dernière !

Elle entendit claquer la porte du vestibule et se retrouva seule...

Alors la réaction violente, qui ne s'était pas encore produite, était venue. Elle avait longtemps sangloté. Agnès pleurait sur sa propre déchéance, sur l'écroulement brutal de ce qui avait été sa raison de croire au bonheur, depuis trois années. Elle venait de revoir l'homme, et les quelques paroles échangées lui avaient révélé qu'elle n'aimait pas Bob, qu'elle ne l'avait jamais aimé d'amour, même quand elle croyait qu'il était Georges Vernier.

Maintenant qu'elle « savait », elle le méprisait violemment. Elle aurait voulu partir tout de suite, quitter l'être ignoble et rentrer dans une dignité dont Elisabeth lui avait toujours donné un si admirable exemple.

Mais comment faire ? Où se réfugier ? A l'étranger, comme l'avait proposé la fille rousse ? Ou bien rester en France en essayant d'y retrouver un métier honorable ? Redevenir « mannequin-volant » ? Cette seule idée lui rappelait toute la médiocrité de la profession... Si elle restait, où pourrait-elle habiter ? Une chambre d'hôtel ? Ou une mansarde, comme celle qu'elle avait connue ? Elle ne s'en sentait pas le courage.

A force de gagner de l'argent si facilement, elle avait fini par s'habituer au luxe. Trop vite, elle avait épousé la vie que l'homme lui avait imposée. Elle s'était attachée à son nouveau domicile, à son élégance et à son confort. Il y avait surtout « l'amant » qu'elle ne pouvait rayer aussi facilement de sa vie. D'ailleurs, même si elle en avait la force, elle se doutait bien qu'il saurait la poursuivre, la retrouver pour l'asservir à nouveau. Elle le sentait redoutable. Elle découvrait aussi avec horreur que l'on ne fait pas le métier de « fille » sans devenir — plus ou moins — « une fille »...

Aussi impuissante, aussi enchaînée qu'une Suzanne,

quelle planche de salut pouvait-elle espérer ? En dehors de M. Bob et de « la clientèle », elle ne connaissait plus personne. Elle n'avait aucune amie sûre, à qui elle pût se confier.

Peu à peu, sa détresse s'abîmait dans une immense lassitude. Elle se sentait incapable de réagir.

C'est alors qu'au fond d'elle-même surgit, très faiblement, une voix intérieure :

« Reprends-toi, disait-elle. Non, tu n'es pas complètement perdue ! Tu as été sincère dans tes égarements. Ton seul tort a été de tout subordonner au plaisir. Il y a encore pour toi, se préparant secrètement, une autre vie que celle que tu viens de mener... Il y a l'amour : l'amour véritable... » De sourde, de lointaine, la voix se fit plus nette, plus proche. C'était la voix qu'elle aimait, une voix très douce et très gaie aussi : celle d'Elisabeth.

Elle comprit, comme jamais elle ne l'avait ressenti avec une telle intensité jusqu'à cette minute, que la petite Sœur, la servante de ceux qui sont pauvres de tout, était près d'elle. Ce n'était encore qu'une ombre, mais elle grandissait d'instant en instant jusqu'au moment où elle ferait éclater les murs de ce logis maintenant détesté.

Oui, Agnès en était sûre à présent : il lui restait sa jumelle. Il lui restait son secret : Elisabeth. Secret que l'homme ne pourrait pas lui prendre et qu'elle lui tairait toujours. Dès demain, elle irait avenue du Maine pour se retremper dans le havre de bonté, pour y retrouver, comme à chacune de ses visites, la paix de la conscience et de l'âme. Mais cette fois, il fallait autre chose : il fallait l'aveu... Dès demain, elle verrait Elisabeth pour tout lui dire. Alors, seulement, elle se sentirait libérée. Agnès savait aussi que, seule, la petite Sœur saurait trouver le moyen de l'arracher aux griffes du démon.

Incapable de dormir, la tête bourdonnante de mille pensées tour à tour désespérées ou consolantes, Agnès ne s'était pas couchée. Elle avait tourné et retourné dans son cerveau enfiévré tant de plans et tant de décisions qu'elle n'avait plus la force de penser. Hébétée, à demi inconsciente, elle vit rosir les arbres du Bois. L'idée qu'elle allait retrouver Elisabeth lui donna la force de s'arracher à sa torpeur grandissante pour aller s'asseoir devant la coiffeuse du boudoir où elle essaya, sans grande conviction, de réparer les ravages de la nuit d'insomnie.

A sept heures du matin, elle quitta l'appartement où M. Bob n'était toujours pas rentré. Un quart d'heure plus tard, un taxi la déposait avenue du Maine à la grande Maison des Pauvres...

Elle y était encore, ayant revu — pendant sa longue méditation — l'horrible envers de la tapisserie que Suzanne lui avait découvert. L'endroit lui apparaissait maintenant tout aussi horrible. Un Bob, une Suzanne, une Agnès, autant de personnages qu'elle avait tissés de son imagination, lui semblaient maintenant une affreuse trilogie. On ne trouvait même pas auprès d'eux un quatrième personnage ou même

un symbole qui pût suggérer l'espoir et contre-balan-
cer les forces du mal par celles du bien. Pourtant ce
personnage existait réellement et c'était Elisabeth.

Pourquoi, maintenant, se faisait-elle tant attendre ? Les soins donnés aux vieillards étaient-ils toujours aussi longs, chaque matin ? Elisabeth ne com-
prenait-elle donc pas que sa jumelle ressentait l'ar-
dent besoin de retrouver sa présence lénifiante ?

Mais, tout à coup, la jeune femme — dont le regard, toujours douloureux, errait sur les murs de la
chapelle — demeura saisie... Comment n'avait-elle
pas découvert cela plus tôt ? Elisabeth était toujours
auprès d'elle. Elle ne l'avait pas laissée seule un instant : la servante des Pauvres peuplait l'église : elle
était sur chaque vitrail... Peu importait le visage : il
pouvait être celui d'Elisabeth ou de n'importe laquelle de ses sœurs en religion.

Sur les vitraux du chœur, dont les coloris étaient
aussi puérils que ceux de la statue de saint Joseph,
toute l'histoire d'une vie de Petite Sœur des Pauvres
était racontée...

Sur le premier vitrail de gauche, on voyait d'abord
les novices, encore vêtues des derniers vêtements
civils qu'elles portaient, arrivant à la Maison Mère
de La Tour Saint-Joseph. Elles étaient assises dans
un char à bancs qui, après avoir traversé le bourg
de Saint-Pern, s'était engagé dans un bas chemin
conduisant directement au portail. Sur le second
vitrail, les novices avançaient dans la grande cour
centrale. Sobre dans ses murs de granit gris, simple,
grave sans être trop austère, accueillante aussi avec

ses deux ailes flanquant à droite et à gauche le bâti
ment central comme deux bras largement ouverts,
la Maison Mère apparaissait bien comme étant « la
Maison » et « la Mère » ; n'était-elle pas la gardienne
de la règle et le foyer où continuait de se former, de
s'amplifier, depuis le 1er avril 1856, de génération en
génération, une institution à la mesure du monde ?
Ce n'était pas une Maison Mère repliée sur elle-
même mais tournée vers l'extérieur, vers les hori-
zons lointains où se dressaient d'innombrables mai-
sons-filles qui lui restaient rattachées par les liens
de l'affection et de la charité universelle.

Le vitrail suivant montrait une théorie de novices
ayant déjà revêtu la robe des veuves de Cancale,
qui longeaient, deux par deux et les mains jointes,
un long couloir monacal dont les murs blancs
n'avaient pour tout ornement qu'une inscription en
lettres noires : *Bienheureux ceux qui habitent dans
ta demeure, Seigneur ! Ils te loueront dans les siècles des siècles...* »

Puis venait une succession d'imageries révélant
les apprentissages des Sœurs, l'alternance immua-
ble des temps de prière, d'étude et de travail ma-
nuel réservée aux novices pendant la période de
leurs fiançailles avec le Souverain Maître. Elles
étaient là, apprenant la reliure, maniant une machine
à tricoter, réparant un fer électrique, faisant du
secrétariat. Ne faudrait-il pas, plus tard, dans chaque communauté, une administration bien organi-
sée et des secrétaires capables de tenir les dossiers
de chaque vieillard et de chaque vieille ?

Il y avait, dans ces enluminures éclairées par la lumière du jour, tout le déroulement d'une journée complète de noviciat, depuis le lever à l'aube jusqu'à la prière du soir.

Un peu plus loin, on apercevait le Grand Noviciat, celui qui préparait aux vœux perpétuels, celui où les Petites Sœurs de toutes nationalités venaient pour la dernière étape avant leurs épousailles. Là se préparait la rencontre définitive avec Dieu.

Les quatre derniers vitraux à droite montraient quatre étapes d'une vie de petite Sœur : la prise d'habit où la blancheur des robes nuptiales était éclatante ; le départ des professes pour les maisons disséminées dans le monde ; la petite Sœur dans sa mission, entourée des vieillards qui seraient désormais sa famille ; l'évocation se terminait sur le cimetière des pauvres, où les tombes s'alignaient, toutes pareilles, surmontées d'une croix grise, celles des Sœurs et celles des vieillards. Au fond de ce cimetière, un grand Christ s'élevait, protégeant le dernier sommeil des religieuses dont l'existence n'avait été que dévouement à Dieu et au prochain.

Tout ce cycle de sacrifice et de renoncement, Elisabeth l'avait déjà en partie vécu. Elle le vivrait jusqu'à la paix finale. C'était elle qu'Agnès venait de voir sur chaque vitrail, dans la poussière de soleil. Aussi ne fut-elle point étonnée d'entendre la voix de sa jumelle, enfin libérée de son travail :

— Viens, disait-elle.

Elle la suivit et, lorsqu'elles furent hors de la chapelle, Elisabeth demanda :

— Et maintenant, te sens-tu la force de tout me dire ?

— Non. Pardonne-moi...

Les yeux clairs de la petite Sœur la regardèrent sans exprimer le moindre reproche. Le pardon n'y habitait-il pas depuis toujours ?

Ne pouvant soutenir un pareil regard, fait de tant d'amour et de tant d'indulgence, Agnès détourna la tête et s'enfuit en traversant la cour.

Elisabeth lui cria :

— Ce serait la première fois que tu ne me dirais pas au revoir, ou ces deux mots que j'aime tant : « A bientôt » ?

Agnès s'arrêta, se retourna vers sa jumelle, restée immobile sur le seuil de la chapelle. Elle répéta :

— A bientôt...

Elle ajouta même, avec brusquerie :

— J'ai oublié de t'informer que je venais de changer d'adresse...

— Ce n'est pas possible ? répondit Elisabeth avec enjouement. Tu as quitté cette petite chambre mansardée que je trouvais si poétique ? Un vrai logis de Mimi Pinson !

— Oui. J'habite maintenant près du bois de Boulogne.

— Ce doit être agréable. C'est plus grand que boulevard de Courcelles ?

— Beaucoup plus grand...

— Mais ton loyer n'est pas trop fort ?

— Non.

— Alors je suis heureuse pour toi...

Agnès avait repris sa fuite. Quand le portail se fut refermé et qu'il l'eût rendue à la rue, deux larmes silencieuses coulèrent sur le visage de la petite Sœur. Longtemps, elle resta immobile, puis elle retourna dans la chapelle où elle s'agenouilla pour une courte prière, à la place même que venait de quitter Agnès.

— Protégez-la, Seigneur ! J'ai peur pour elle... Vous qui avez voulu que nous nous ressemblions en tout, faites que nos cœurs soient toujours à l'unisson ! Je sais que c'est parce que l'âme de ma jumelle est plus belle que la mienne que Vous avez permis qu'elle soit exposée à des tentations que je n'aurais peut-être pas pu affronter... Je Vous remercie, mon Dieu, de m'avoir retirée des dangers du monde... Mais faites aussi que l'âme d'Agnès soit assez forte pour rester pure...

Pendant son retour rue de la Faisanderie, Agnès ne pensa qu'à la lâcheté dont elle venait de faire preuve. Mais comment expliquer à une petite servante des pauvres qu'elle n'avait cessé de lui cacher la vérité depuis trois années, que parce qu'elle était l'esclave de la chair ?

Et, craignant de ne jamais pouvoir se débarrasser du secret qui finirait par l'étouffer, elle en arrivait à se demander si elle ne ferait pas mieux de l'emporter avec elle dans la tombe en se supprimant ? Ne serait-ce pas la vraie solution ? Et n'avait-elle pas un devoir à remplir avant de disparaître ? Tuer le misérable qui l'avait entraînée dans la déchéance. Il fallait, à tout prix, l'empêcher de continuer à nuire.

C'était la première fois que la double idée de meurtre et de suicide effleurait les pensées de la fille désespérée... Le souvenir de la visite qu'elle venait de faire, dans un lieu où tout n'était qu'amour du prochain, l'empêcha de s'y attarder.

Quand elle rentra dans l'appartement, « Monsieur Bob » l'y attendait. Son accueil fut glacial :

— Toi aussi, tu as sans doute éprouvé le besoin d'aller faire un petit tour ?

— Je ne suis pas en prison, que je sache ?

— Tu es libre, mon petit... Tout ce qu'il y a de plus libre.

Décontenancée, elle l'observa : il paraissait toujours calme, toujours sûr de lui. Il continua :

— Tu ne t'es pas encore couchée ou tu t'es levée à l'aube ?

— Je suis sortie de très bonne heure.

— On dit que le monde appartient à ceux qui se lèvent tôt... Peut-on savoir si tu as fait de nouvelles conquêtes ?

— Je t'en prie !

— Pendant ta petite rébellion d'hier, tu m'as laissé entendre que je te faisais horreur... C'est bien cela, n'est-ce pas ?

Elle resta muette, comme paralysée.

Il poursuivit avec le même ton tranquille :

— Tu te trompes, ma fille, et je vais te le prouver. Au lit ! Viens !

Elle balbutia en reculant :

— Non !

— Comment ? Répète un peu...

Il la saisit par les deux poignets :

— Tu as grand besoin d'être calmée !

Il l'entraîna vers la chambre où il la renversa brutalement sur le lit. La voix de la femme cria :

— Non ! Je ne veux plus !

Mais la protestation devint plus faible et ce fut dans un souffle que la voix répéta :

— Je t'en supplie, Georges...

Après un spasme d'amour, ce fut le silence.

Une fois de plus, Agnès avait cédé. Comme Suzanne, comme toutes celles qui les avait précédées et qui leur succéderaient, elle ne pouvait pas résister à l'appel des sens. Comme sa jumelle, mais à l'opposé, elle était une prisonnière... mais alors qu'Agnès se sentait la prisonnière du diable, Elisabeth, avec bonheur, était prisonnière de Dieu.

A la même heure, dans la Maison des Pauvres, entre sa première visite de la journée à des vieillards qu'elle avait surnommés « les terribles » et les soins donnés aux paralysés de l'infirmerie, la petite Sœur avait réussi à trouver quelques instants pour retourner au parloir. Déchirée d'inquiétude, les mains suppliantes devant la statue de saint Joseph, la petite Sœur adressa une nouvelle demande à celui qu'elle appelait « le Patron » :

— Bon saint, c'est la première fois que je ne viens pas vous implorer pour mes vieux : je suis là pour Agnès, que je sais en ce moment plus pauvre qu'eux...

Dites à Jésus, mon Epoux, à qui je me suis donnée tout entière, que je suis prête, s'il veut bien l'accepter, à faire le sacrifice de ma vie pour sauver ma petite sœur à moi !

Et, très vite, l'humble servante quitta le parloir pour se diriger, à nouveau, vers l'infirmerie...

LE PROTECTEUR

Monsieur Bob était reparti, laissant la femme seule avec sa honte.

Agnès n'avait même plus la force de pleurer sur sa nouvelle défaite. Veule, repue, elle avait un mal infini à rassembler ses idées. La seule chose qui s'imposait à elle était l'emprise de l'amant qu'elle subissait. Mais, plus elle retrouvait ses esprits, plus elle comprenait que la sujétion s'effaçait dès que le plaisir des sens était assouvi en elle. Alors Monsieur Bob lui faisait horreur... Son existence de femme désaxée allait-elle être une perpétuelle alternance de remords et de désirs ? Maintenant qu'elle était à nouveau lucide, elle revenait à l'idée de fuite comme au seul moyen d'échapper au cycle infernal. Sur ce point, au moins, Suzanne ne l'avait pas trompée. Quand elle serait loin de l'homme, tour à tour subi et détesté, peut-être pourrait-elle retrouver un véritable équilibre.

Mais aurait-elle seulement le courage de s'arracher à lui ? N'allait-elle pas devenir, selon l'effroyable prédiction de Suzanne et comme Suzanne l'était elle-même, l'une de ces femmes qui — ayant compris l'ignominie de leur amant — se résignent à le subir ? Que pourrait-elle faire d'autre ? Physiquement, ne restait-il pas pour elle un sourd besoin ? Même l'ayant pris en horreur ? Elle commençait à se rendre compte que l'on pouvait haïr un partenaire charnel sans qu'il cessât de demeurer indispensable. Elle se sentait, en tout cas, impuissante à s'en libérer d'elle-même et, puisqu'elle n'avait pas osé recourir à Elisabeth, le seul secours qui s'offrait était celui de Suzanne. Il pouvait paraître insensé de faire appel à celle qui était sa pire ennemie mais, justement parce que la fille rousse voulait se retrouver seule avec « son Bob », elle ferait tout — comme elle l'avait proposé elle-même la veille — pour permettre à celle qu'elle jalousait de s'enfuir immédiatement...

Comment joindre Suzanne ? En se rendant chez elle, avenue Carnot ? C'était bien dangereux : Monsieur Bob pouvait s'y trouver... En téléphonant au meublé ? Ce serait le moyen le plus sûr. Malheureusement, Agnès ne se souvenait plus ni du numéro de l'immeuble de l'avenue Carnot où elle n'avait jamais été ni du numéro téléphonique que Suzanne lui avait cependant donné le jour de la pendaison de la crémaillère. Il ne lui restait qu'un espoir : c'est que le barman ou l'un des employés du bar de la rue Marbeuf, où Suzanne l'avait entraînée deux fois de suite et où la fille semblait tenir ses assises, pût la renseigner. Suzanne devait y avoir laissé son adresse ou son

téléphone pour le cas où l'un de ses « clients » cher-
cherait à la voir ? Ce bar n'était-il pas son poste de
combat secret, le lieu d'où elle partait, au volant de
la *M.G.*, à la conquête quotidienne et éphémère de
nouvelles proies ?

En pénétrant dans le bar, Agnès se rendit compte
que le barman — qui avait eu tout le loisir de la
voir pendant la longue conversation qu'elle avait
eue la veille avec Suzanne — la reconnaissait. Mais
elle fut assez surprise de constater qu'au lieu de lui
adresser un vague sourire commercial, l'homme au
veston blanc prenait une mine compatissante qui
lui déplut souverainement.

Elle se dirigea quand même vers lui en disant :

— Bonjour... J'ai un rendez-vous avec mon amie
Suzanne. J'étais ici hier avec elle... Vous devez la
connaître ?

— En effet, Mademoiselle...

La réponse était embarrassée.

— Qu'y a-t-il donc ? demanda Agnès.

— Mademoiselle n'a pas lu le journal ?

— Quel journal ?

Sans rien ajouter, l'homme lui tendit la première
édition de *France-soir* qui venait de paraître. Le journal était ouvert à la troisième page et Agnès put lire,
s'étalant sur deux colonnes, sous des titres en caractères gras, le récit d'un fait divers : *Mystérieux suicide avenue Carnot*. Sous le titre, il y avait une photographie de femme : celle de Suzanne.

Agnès ne put réprimer un tressaillement. Quand

elle eut fini de lire, elle tremblait ; elle balbutia, en s'appuyant au bar pour ne pas défaillir :

— Ce n'est pas possible ?... Ce n'est pas vrai ?

— Je ne pense pas, répondit le barman qui l'observait avec attention, que les journaux puissent inventer une chose pareille ! C'est la photographie qui m'a permis de reconnaître votre amie qui était notre cliente depuis longtemps... J'avoue que ça m'a fait de la peine : c'était une si belle jeune femme, toujours gaie et souriante, pleine de vie... Je vous vois encore partir avec elle, hier, dans sa petite voiture anglaise. Elle aimait tant sa voiture !

— Mais... pourquoi se serait-elle tuée ?

— Elle l'a quand même fait, Mademoiselle !... Quand je vous ai vue entrer tout à l'heure, j'ai pensé que ce serait peut-être vous qui pourriez nous le dire ?

— Moi ?... Pourquoi moi ?

— Vous êtes la dernière personne que nous ayons vue avec elle.

Agnès comprit que l'homme, dont le visage avait retrouvé son impassibilité, cherchait à savoir si elle n'était pas mêlée en quelque manière au drame de la cliente « toujours gaie et pleine de vie ».

— C'est affreux ! murmura-t-elle.

— Mademoiselle devrait prendre quelque chose.

— Ce que vous voudrez, répondit-elle en lisant à nouveau l'article.

— Je pense qu'une fine ferait du bien à Mademoiselle...

104

Après sa seconde lecture, Agnès but machinalement et répéta, en posant le verre sur le comptoir.

— Pourquoi a-t-elle fait ça ?

— C'est ce que nous nous demandons tous ici ! Une peine de cœur, peut-être ?

— Une peine de cœur...

Agnès resta songeuse pendant que son interlocuteur continuait :

— Si, un jour, la même idée de suicide me venait, je crois que j'agirais comme elle. Le gaz, c'est ce qu'il y a de plus discret et de plus propre. C'est aussi la fin la plus douce. On calfeutre les issues, on tourne le robinet du chauffe-bain, on laisse la porte de communication avec la chambre grande ouverte, on s'allonge sur le lit — comme elle l'a fait — et on attend l'engourdissement final, tout en écoutant la musique du petit sifflement...

— Taisez-vous ! C'est horrible !

Elle sortit brusquement du bar après avoir jeté un billet sur le comptoir. L'homme le ramassa en disant à la caissière :

— Drôle de fille ! Pour qu'elle n'ait même pas attendu sa monnaie, c'est qu'elle doit en savoir beaucoup plus que nous sur cette affaire... Vous ne pensez pas qu'on devrait avertir la police ?

— Non ! répondit la caissière. Attendons un peu... Cette fille a eu l'air trop surprise pour avoir trempé dans le coup.

— Quel coup, puisque c'est un suicide ?

— Avec ce genre de femmes, on ne sait jamais ! Si nous téléphonons, les inspecteurs vont rappliquer ici.

Une publicité pareille, c'est toujours mauvais : ça peut faire fuir les clients. Ce n'est pas ce que vous cherchez.

— Vous avez raison, Mme Jeanne... Après tout, ces filles n'ont qu'à se débrouiller entre elles. Vous pensez que celle-ci en est une ?

— Je me le demande ? Elle fait très distingué. Beaucoup plus que la morte !

— Oui... Seulement elles sont restées hier pendant plus de deux heures à la table du fond pour se faire des confidences : qui s'assemble, se ressemble... Je ne vois pas très bien une femme convenable perdant son temps avec une professionnelle de l'acabit de la rousse... D'autant plus que je me souviens très bien que c'est la rousse qui a parlé presque tout le temps. La blonde l'écoutait et paraissait complètement effondrée quand elles sont sorties... Ça va en faire des conversations entre les clients, quand ils auront reconnu la morte sur la photo !

— Les clients ? Ils s'en ficheront... Une fille de perdue, dix de trouvées ! Si vous croyez qu'ils vont prendre son deuil ! Ces filles-là, personne ne les regrette, à l'exception de ceux qui en vivent...

C'était la deuxième fois qu'Agnès sortait de ce bar comme si elle eût été ivre. Pour elle, ce ne serait plus qu'un lieu maudit. Ce fut presque en titubant qu'elle atteignit un kiosque à journaux où elle acheta un *France-soir* qu'elle enfouit dans son sac. Elle n'avait plus besoin de relire l'article, dont les mots restaient gravés dans sa mémoire, mais un instinct lui disait qu'elle devait conserver un exemplaire du journal... Dès qu'elle avait aperçu l'article et la photographie, elle avait vu — se superposant au texte et à l'image, les écrasant de sa sinistre personnalité — « Monsieur Bob »...

Un M. Bob qui devait être le véritable responsable du drame. Suzanne ne pouvait s'être suicidée que pour deux raisons : parce qu'elle avait peur d'avoir trop parlé ou parce qu'elle aimait trop l'homme. Et, dans ce dernier cas, c'était signe qu'elle ne s'était plus sentie capable de lutter à armes égales contre une rivale.

Ses propres paroles : *il faudra que l'une de nous disparaisse...* résonnaient douloureusement dans le cœur d'Agnès qui se retrouvait gagnante du triste tournoi : il n'y avait plus de Suzanne.

Une pensée terrifiante traversa brusquement l'esprit de celle qui se sentait envahie par une immense pitié à l'égard de la disparue. D'abord, elle ne voulut pas s'y arrêter, estimant que c'était à la fois trop absurde et trop monstrueux... Mais la pensée revint, lancinante : si M. Bob, au lieu d'être un rouage indirect de la mort de la fille rousse, en avait été le véritable auteur ? Si M. Bob avait tué Suzanne et ensuite maquillé son crime ? M. Bob n'était-il pas capable de tout ? Mais pourquoi aurait-il tué ? Pour punir la fille d'en avoir trop dit ou pour l'empêcher de continuer à parler à l'avenir ? Dans une crise de désespoir, Suzanne pouvait très bien raconter à d'autres tout ce qu'elle avait déjà révélé à Agnès... Et « Monsieur Bob » n'était-il pas un passionné du silence ? Que pouvait lui faire, après tout, la disparition d'une **Suzanne** ? Il ne l'aimait pas plus qu'il ne l'aimait, elle, **Agnès** et il connaissait l'art de remplacer rapidement les disparues...

Cette supposition lui semblait cependant monstrueuse. Bob aurait-il été jusqu'au crime pour un tel motif ? L'insensibilité de l'homme rendait cela très possible. Agnès en arrivait même à penser que M. Bob n'aurait pas reculé devant un crime gratuit si celui-ci pouvait lui apporter une satisfaction d'orgueil. A plus forte raison, il pouvait tuer quand il s'agissait de faire taire une fille trop bavarde dont les propos étaient à craindre... A l'égard de son protecteur, ami du mystère, la fille rousse avait commis une faute impardonnable : elle devait expier !

Un crime pareil pouvait-il rester impuni ? Le besoin de justice inspira à la fille douce des velléités combatives. Pourquoi ne pas prévenir la police ? Peu importaient les conséquences ! La « loi du milieu » ne lui faisait pas peur. Elle en savait pourtant la force inexorable. Sans elle, un « Monsieur Bob » et ses confrères n'auraient jamais pu exercer leur métier en toute quiétude : comment auraient-ils continué à abuser des femmes s'ils n'avaient pas le moyen de les terroriser, le jour où elles refusaient d'obéir ?

Même si elle devait être abattue par les amis de « Monsieur Bob » pour avoir livré un « caïd » à la justice, Agnès trouvait que ce serait un juste châtiment de sa propre lâcheté pendant ces dernières années. Contrairement à ce que croiraient ses tueurs, sa mort ne serait pas un règlement de comptes, mais la dette qu'elle estimait devoir à la société pour avoir vécu en marge des lois morales et, surtout, pour avoir trompé celle qui avait mis tout son amour et toute sa confiance en elle : Elisabeth.

Entraînée par ce mobile, Agnès, malgré sa répulsion, retourna rue de la Faisanderie. Elle souhaitait que M. Bob fût revenu dans l'appartement pour éclaircir tout de suite le mystère de la mort de Suzanne.

Ses désirs furent exaucés : M. Bob était là, fumant tranquillement dans un fauteuil du living-room.

Elle alla droit vers l'homme assis et lui tendit *France-soir* qu'elle avait extrait de son sac :

— Lis ! dit-elle.

— J'ai déjà lu, dit-il nonchalamment.

Il aspira quelques bouffées de son cigare :

— Pauvre fille ! Ça devait lui arriver...

Il regardait Agnès, les yeux mi-clos dans un masque figé.

— Rappelle-toi ce que je t'ai dit : ce n'était plus une relation pour toi...

Elle regardait, interdite, l'homme énigmatique et froid.

— Et toi, poursuivit-il, ça va mieux ? La reprise en main de ce matin t'a fait réfléchir ?

Elle se sentait de nouveau subjuguée par ce flegme, par cette force.

— Petite dinde, ricana-t-il. Il fallait bien qu'un jour tout soit clair entre nous deux. Je n'étais pas pressé de t'ouvrir les yeux, mais je ne suis pas fâché que ce soit fait. Maintenant, tu es affranchie. Alors, plus

d'histoires. Ne recommence plus la scène de ce matin. Ça ne servirait à rien puisque nous ne pouvons
plus nous séparer... Tu sais bien que nous sommes
liés pour le meilleur et pour le pire !

Il lui avait pris la taille et l'attirait à lui. Elle eut
le vertige habituel :

— Oui, balbutia-t-elle.

— Tu vas dire : oui, mon Bob.

Elle se crispa, eut un recul, mais elle sentait près
du sien le corps de son amant et, honteuse, bégaya :

— Oui, mon Bob...

— Tu m'aimes avec ce prénom ?

— Je crois qu'il te va mieux que l'autre...

Il l'embrassa et elle se sentit défaillir.

— Désormais, tu es « ma » femme... Désormais, tu
seras la seule qui aura le droit de m'appeler « Bob ».

Il la lâcha, puisqu'elle était calmée, soumise.

— Si nous prenions un scotch pour fêter ça ? pro-
posa-t-il.

Pendant qu'il remplissait les verres, il demanda
avec une douceur de plus en plus souriante :

— Dis-moi... Quand *elle* t'a dit mon vrai prénom,
qu'est-ce qu'elle t'a raconté d'autre ?

— Tout !

Il but une gorgée avant de continuer :

— Et quel effet ça t'a produit ?

— Je t'ai détesté.

— C'est ça l'amour, dit-il.

— Je t'ai pris en horreur !

— Mais c'est ça, l'amour !

— J'aurais voulu te fuir, ne jamais te revoir..

110

— Et tu es restée ! Mais, mon petit, c'est ça, l'amour ! On ne peut pas toujours se bécoter, se dire des tendresses. Il faut bien qu'un peu de haine vienne faire diversion aux épanchements amoureux. Qu'est-ce que ça fait, puisqu'on s'accorde dans le lit ? Les légitimes connaissent aussi ces hauts et ces bas. Ça n'empêche pas le ménage de tourner. D'ailleurs, il n'y a pas que la bagatelle dans une union. Il y a surtout le business...

Il prit le temps de rallumer un cigare.

— Le gros avantage, reprit-il, maintenant que la situation est clarifiée, c'est que nous n'aurons plus besoin de nous mentir mutuellement : je sais que tu fais de la clientèle et tu as compris que c'était là le meilleur moyen de me rendre heureux ! Tout va être simplifié : au lieu d'aller à domicile — ce qui offre des dangers — tu pourras, à l'avenir, t'arranger pour recevoir tes amis ici. Crois-en ma vieille expérience : un cadre aussi luxueux, ça justifie de hauts tarifs. Une jolie petite voiture, ton *Aronde* blanche pour racoler les clients, et un bel appartement pour les recevoir : tu me feras le plaisir de monter tes prix.

Le tour sérieux, bourgeois, de la conversation avait éloigné Agnès de ses tourments. La professionnelle que, bon gré mal gré elle était devenue — même si elle le réprouvait — reprenait, momentanément, le dessus ! Elle jaugeait, pesait ces arguments raisonnables.

— A propos, continua Bob, puisque tu es affranchie, maintenant, ce ne sera plus la peine de continuer à jouer la comédie de celle qui rapporte sa paye à la fin du mois. Ça allait bien quand j'étais censé croire que tu travaillais chez Claude Vermand. Désormais, ce sera plus simple de rapporter l'argent au fur et à mesure des rentrées... Tu es de mon avis ?

— Pourquoi pas ?

— Ça facilitera notre comptabilité et nous saurons chaque jour où nous en sommes.

— Tu me permets de te poser une question ?

— Maintenant que tu as compris la musique, tout ce que tu voudras !

— Suzanne...

— Encore elle ! J'écoute...

— Dis-moi : tu ne crains pas d'avoir des ennuis avec sa disparition ?

— Quels ennuis ?

— Je ne sais pas... Quand il y a un suicide, la police ne s'en mêle pas ?

— Forcément, elle est obligée de s'en occuper ; mais, dans le cas présent qui est très simple, il n'y a aucun doute : Suzanne a ouvert le robinet du gaz et adieu !

— Donc, la police...

— Quoi la police ? Tu y reviens ? Ça te tracasse ?

— Ça ne m'ennuie que pour toi... Tu vas sûrement être interrogé ?

— C'est déjà fait depuis ce matin onze heures...

— Ils vont vite !

— Ils font leur travail...

— Ils t'ont convoqué ?

— Mais non ! Quand j'ai su qu'elle s'était asphyxiée...

— Comment l'as-tu appris ?

— Mais, ma parole, c'est toi qui me fais passer l'interrogatoire ! Je n'aime pas beaucoup ça, mon petit !... Enfin, je te dois quand même toute la vérité pour tranquilliser tes inquiétudes à mon sujet : maintenant que tu es affranchie... Ce matin, j'avais quelque chose à dire à Suzanne. Je lui ai téléphoné à dix heures...

— Tu n'as donc pas été la voir hier soir quand tu es parti d'ici un peu fâché ?

— Ma petite, tu vas un peu loin...

— Ne te fâche pas... Donc, tu lui as téléphoné ce matin à dix heures ?

— Oui... Comme elle ne répondait pas, j'ai insisté et j'ai même demandé les réclamations. Ça n'a rien donné et j'ai été pris d'un pressentiment... Je me suis dit qu'il lui était arrivé quelque chose. J'ai pris la *Chevrolet* et j'ai été chez elle. Quand je suis arrivé devant l'immeuble, la concierge m'a dit : « Oh ! Monsieur... Il y a eu un grand malheur... Ça sentait le gaz dans l'escalier... Les locataires ont protesté... J'ai fait venir un serrurier et on a ouvert... La pauvre petite ! J'ai appelé aussitôt la police qui m'a demandé si la demoiselle recevait souvent du monde chez elle. J'ai répondu qu'elle ne recevait qu'une seule personne : un monsieur très comme il faut, qui devait être son ami. Vous ! J'ai bien fait de dire ça ? » Je suis monté : la police était là, en effet, avec toute la clique : un médecin-légiste, des hommes qui relevaient des empreintes un peu partout, des photographes... L'équipe classique, quoi ! Si tu l'avais vue allongée sur son lit, la pauvre Suzanne. Son visage était violet. Elle ne s'était même pas déshabillée ! Et ça puait le gaz ! Je peux te l'avouer : j'ai beau être un dur, j'ai cru que j'allais vomir... Voilà !

— Et après ?

— Après ? Ils m'ont demandé de décliner mon identité : ce que j'ai fait... J'ai dit que j'habitais avec toi ici et que la morte était en effet l'une de nos relations...

— De « nos » relations ?

— N'est-ce pas la vérité ? Tu l'as connue avant moi, quand vous étiez mannequins ! Il ne faut jamais mentir à la police : tôt ou tard, ça se retourne contre vous... Evidemment, je n'ai pas donné trop de détails... C'était inutile ! D'ailleurs, il est possible qu'ils viennent t'interroger pour vérifier ce que j'ai dit. Tu n'auras qu'à répondre exactement la même chose...

— Bon.

— L'inspecteur qui dirigeait l'enquête n'a pas eu l'air de se frapper : il m'a même confié que, pour lui, c'était un suicide banal... D'ici vingt-quatre heures, ils délivreront le permis d'inhumation et l'affaire sera classée.

— Ils ne t'ont pas posé d'autres questions ?

— Si... Ils m'ont demandé si j'avais une idée sur la nature de ses ressources et si je lui connaissais d'autres amis que nous ?

— Et tu as répondu ?...

— ... la vérité ! Qu'elle devait avoir beaucoup d'amis parce qu'elle ne nous avait jamais donné l'im-

114

pression, à toi et à moi, d'être un prix de vertu !
Quant à ses ressources, j'ai dit que je les ignorais...
Là, il fallait mentir pour ne pas faire de tort à sa
mémoire...

— Tu as bien agi.

— Ça n'aurait pas été chic de ma part de préciser
davantage... Ils sauront tout sans mon aide ! Ce ne
sont pas des idiots, ces types de la police... Tu es rassurée maintenant ?

— Pas tout à fait... Le meublé, c'était elle qui en
payait la location ?

— Tu n'aurais tout de même pas voulu que ce fût
moi ?

— Et la *M. G.*, elle était à elle ou à toi ?

— La carte grise est établie à mon nom... Tu as
raison : c'est un point qui aurait pu les intriguer si
je n'avais pas pris la précaution de leur donner une
explication avant qu'ils ne me questionnent.

— Comment t'en es-tu sorti ?

— Le plus simplement du monde : j'ai dit que
Suzanne m'avait demandé de lui prêter l'une de mes
voitures et que nous n'y avions pas vu d'inconvé-
nient, ni toi ni moi, puisque nous en avions une
autre... J'ai même ajouté que j'aimerais bien la reprendre. Ils ont examiné la carte grise qu'ils ont trouvée dans un sac de Suzanne et ils m'ont déclaré que
je pouvais emmener la bagnole...

— Où est-elle, maintenant, la *M.G.* ?

— Je l'ai planquée dans un garage... C'est toujours
ça de récupéré, en compensation du reste...

— Quel reste ?

— Toutes ses robes et tous ses manteaux qui auraient pu être revendus pour payer les frais d'enterrement !... Comme on n'a pas trouvé d'argent chez
elle, et qu'on ne lui connaît pas de famille, j'ai dit
à ces messieurs que toi et moi nous étions prêts à
payer les frais en question en souvenir de la vieille
amitié qui nous liait à elle... Nous lui devons bien
ça ! Comme tu le disais si bien avant-hier, n'est-elle
pas la responsable de notre bonheur ?

Il y eut un long silence. Que dire après des paroles
aussi généreuses ? M. Bob continuait à observer sa
compagne qui semblait de nouveau perdue dans de
sombres méditations.

— Je sais, dit-il enfin, que tu as du cœur, ma petite Agnès. Tâche aussi d'avoir de la tête. Tu n'as pas
à t'attendrir sur le sort de ton ancienne camarade :
elle a eu celui qu'elle a bien voulu !...

— Puisque c'est nous qui payons l'enterrement,
nous devrons donc y aller ?

— Nous irons. Ce sera d'ailleurs très rapide : les
suicidés n'ont pas droit à une cérémonie à l'église.
On ira directement du meublé au cimetière.

— C'est affreux ! Un meublé, un cimetière...

— Le résumé de sa vie.

— C'est tout ce que tu lui réserves comme dernière
pensée ?

Comme il ne répondait pas, elle insista :

— Elle t'a pourtant « aidé » pendant des années ?
Elle ne « travaillait » que pour toi !

Cette fois, il dit lentement :

— Je n'en suis pas tout à fait sûr...

116

— Qu'est-ce qui te fait douter...

— Une idée... Ecoute : en voilà assez ! Si nous changions de conversation ? Ce n'est pas gai, toute cette histoire !

— Je te jure de ne plus jamais te parler de cette fille si tu réponds franchement à une dernière question...

— J'écoute, répondit-il, excédé.

— Pour que tu acceptes sa disparition avec un tel détachement, c'est que tu ne l'aimais pas ?

— Dis-toi bien que je ne l'ai jamais aimée...

— Pourtant, avant de me connaître...

— Avant ? Si je lui ai dit de me trouver une autre fille, qui fut toi, c'était parce que je ne pouvais déjà plus vivre avec elle...

— Et s'il arrivait qu'un jour tu me demandes, à moi aussi, de t'en trouver une ?

Il la regarda, étonné, avant de répondre :

— Tu dis des sottises, ma petite Agnès... Revenons aux choses sérieuses. Revenons au business, hein ! A ce propos, il y a une chose que je ne pouvais pas te dire plus tôt, parce que j'étais censé ignorer ton véritable « travail »... Aujourd'hui, je peux enfin t'en parler... Ma petite Agnès, tu ne peux pas savoir à quel point j'ai toujours aimé ton prénom : Agnès, c'est à la fois tendre et distingué. C'est vrai : on s'attend presque à une particule derrière ce prénom : Agnès de... Et, justement parce qu'il a de la classe et que je voudrais le garder pour nous deux, j'aimerais ne plus te voir l'employer pour le travail... C'est un prénom qu'il ne faut pas galvauder ! Prends un nom d'emprunt, un nom de bataille qui fera à la fois moins distingué et plus provoquant pour la clientèle... Qu'est-ce que tu dirais d'Irma ?

— C'est d'une vulgarité !

— Mais ça se retient...

— Bon ! Va pour Irma... A partir de cette minute, il n'y aura plus d'Agnès !

— Pardon ! Il n'y en aura qu'une et pour un seul homme : Robert.

— C'est ton vrai prénom, celui-là ?

— Le vrai... « Monsieur Bob » et « la belle Irma », c'est uniquement pour le travail ! Tu sais : la plupart des grands artistes prennent des pseudonymes...

Leur cohabitation continua...

Chaque jour, ce fut la même chose : elle partait dès le début de l'après-midi pour ne revenir qu'au petit jour. Elle se couchait, exténuée, à côté de l'homme qui dormait profondément depuis longtemps. Ni l'un ni l'autre ne se réveillaient jamais avant midi. C'était alors une double toilette précipitée : il se faisait beau pour de mystérieuses occupations où le jeu tenait la première place ; elle se faisait séduisante pour faire de nouvelles conquêtes... C'était à peu près le seul moment de la journée où ils se parlaient. La conversation débutait presque toujours par une question rituelle de l'homme :

— Combien as-tu fait hier ?

— Quarante...

C'était rarement moins et souvent plus. Agnès-

Irma connaissait maintenant très bien son métier. Elle « travaillait » selon un rythme régulier. La question : « Combien as-tu fait hier ? » remplaçait un « Chérie, as-tu bien dormi ? » et la femme énonçait son chiffre comme si elle n'était plus un être de chair mais une caisse enregistreuse. La voix de l'homme prononçait alors le petit mot impératif, résumant à lui seul toutes les raisons pour lesquelles il vivait auprès d'elle : « Donne ! »

Parfois — mais de plus en plus rarement parce qu'au fond l'homme n'agissait pas par désir mais pour affirmer et maintenir son pouvoir — il se montrait tendre après avoir empoché la recette, et il disait :

— C'est bien, mon petit. Tu mérites ta récompense...

Pour elle, ces « récompenses » — qui avaient cependant été pendant si longtemps le seul besoin de sa vie — étaient devenues de véritables moments de cauchemar. Depuis la mort de Suzanne, depuis que, malgré le récit de Bob, elle sentait qu'il était le responsable de cette mort, et qu'il en était peut-être même l'auteur, le plaisir charnel qu'il lui avait si longtemps dispensé comme un élixir de vie avait perdu tout son attrait. Elle subissait Bob avec la même passivité que ses clients de rencontre. Mais une répulsion la gagnait de plus en plus et, s'il lui arrivait, comme à l'égard de ses clients, de chercher à lui donner le change, souvent aussi elle ne parvenait pas à lui cacher son dégoût. Pourtant, sa chair avait été pendant trop longtemps asservie à cet homme pour qu'elle ne retrouvât pas, à certains moments de ses étreintes, des relents de plaisir. Après chacune de ses défaites, elle se méprisait davantage et haïssait encore plus M. Bob.

Lui prenait son parti de ce qu'il appelait « les lunes » de sa compagne : elle continuait de rapporter régulièrement et c'était l'essentiel. Il n'eût pas mieux demandé que d'acheminer leur commune vie vers l'état de ces ménages qui ne sont que des associations d'intérêt, où l'habitude dispense des ménagements et des questionnaires.

Agnès, au contraire, se contraignait à espérer en une libération dont elle n'apercevait pas le moyen. Elle se répétait intérieurement qu'il était un assassin. Malheureusement, elle n'en avait aucune preuve. S'il y en avait eu la moindre, la police l'aurait découverte depuis longtemps et le criminel serait sous les verrous. Mais il semblait que M. Bob ait eu raison d'assurer avec son calme habituel que l'affaire serait classée dans les vingt-quatre heures. Elle l'avait été. Plus personne ne parlerait plus de Suzanne, à moins que... C'est à cette frêle restriction qu'Agnès s'attachait désespérément : à moins qu'une preuve inattendue ne surgisse...

En l'absence de Bob, elle avait fouillé avec un soin méticuleux ses affaires personnelles et ses vêtements. Elle n'y avait trouvé aucun papier, rien qui pût même prouver que la fille rousse eût travaillé pour lui. Agnès avait envisagé aussi de se présenter à la police pour porter plainte contre celui qui la « protégeait ». Mais ce ne serait là qu'une accusation de

120

proxénétisme : la condamnation serait légère. Et y en aurait-il seulement une ? « Monsieur Bob » n'avait jamais été condamné : il s'était maintes fois glorifié devant Agnès d'avoir un casier judiciaire intact. Il bénéficierait presque sûrement d'un sursis, et ce serait Agnès seule qui paierait ce que le Milieu considérerait comme une trahison capitale. Il y avait une dernière solution à laquelle la jeune femme n'avait pas songé et qui fut amenée incidemment dans son esprit par une remarque de Bob lui-même. Un soir où il lisait dans un journal la condamnation d'un souteneur qui avait tué une fille, il déclara :

— Tout cela ne serait pas arrivé si elle avait payé l'amende qu'il lui avait imposée pour qu'elle pût se libérer. Elle a été stupide, cette fille ! Deux millions, qu'est-ce que c'est, à notre époque ! Elle serait encore vivante et lui libre...

— Et moi, demanda Agnès d'une voix très douce, à combien m'estimerais-tu si je voulais me « libérer » en payant une amende ?

Il la regarda de son œil d'acier, avant de répondre :

— Toi ? Quelle question ! Tu sais bien que nous ne nous séparerons jamais...

— Enfin, réponds-moi : à combien crois-tu pouvoir m'estimer ?

— A ton pesant d'or, dit-il ironiquement. Pour moi, tu vaux un tel prix que tu n'aurais pas assez du restant de tes jours pour travailler à t'acquitter de ton amende...

Elle comprit à ces mots qu'il ne la libérerait jamais. Elle ne pouvait donc plus espérer qu'en un miracle, c'est-à-dire en Elisabeth.

A chaque fois qu'elle revenait avenue du Maine, la petite Sœur l'accueillait avec tendresse, continuant à lui raconter les nouvelles de la Communauté et de ses vieillards, l'interrogeant sur l'activité de sa profession de mannequin, évitant soigneusement de revenir sur la seule question qui la torturait depuis le matin où Agnès était venue la trouver, affolée : le drame qui était en elle. Elisabeth ne lui proposait plus de se rendre à la chapelle : elle pensait que le jour où Agnès y retournerait, ce serait de son propre mouvement, et que ce jour-là, quand elle ressortirait du sanctuaire, Agnès serait libérée de ses entraves et n'aurait plus honte de tout dire. Pour le moment, il était préférable que leurs rencontres fussent limitées aux murs du parloir.

Mais après chacune de ces visites, quand Agnès était repartie, c'était la petite Sœur qui se rendait seule à la chapelle, et pour des stations de plus en plus longues.

Elisabeth — dont tous, dans la grande Maison, aimaient le sourire — n'était plus la même. Certes, elle continuait à faire preuve de gaîté, mais c'était une gaîté forcée. Chacun, depuis le plus obtus des vieillards jusqu'à la plus humble des petites Sœurs, sentait qu'il y avait, dans le cœur et dans l'âme d'Elisabeth, une contrainte douloureuse. Nul n'osait lui poser de questions, mais on avait remarqué qu'elle s'imposait des jeûnes supplémentaires, qu'elle res- tait de longues soirées, quelquefois des nuits entières, en prière au lieu de prendre le repos indispensable à l'accomplissement de sa lourde tâche. Peu à peu, son visage s'altérait. Les conséquences des privations voulues s'ajoutaient aux effets de la douleur morale. Deux fois déjà Sœur Elisabeth avait eu des défail- lances : un jour, cela s'était produit pendant la messe matinale, alors qu'elle revenait de la Sainte Table ; un autre, quand elle était en train de balayer un dor- toir des hommes. Il avait fallu l'obliger à s'asseoir. Un jour, enfin, elle s'était évanouie au réfectoire et la sœur infirmière avait dû lui faire une piqûre pour la ranimer.

Mère Marie-Madeleine, la Supérieure, s'inquiéta. Dès qu'Elisabeth s'était sentie mieux, elle l'avait fait venir dans son bureau.

— Que se passe-t-il, ma Sœur ?

— Rien, ma Très Révérende Mère.

— Je n'aime pas du tout ces évanouissements ! C'est anormal : vous êtes encore très jeune... La règle de notre Communauté vous semble-t-elle trop austère ?

— Non, ma Révérende Mère.

— J'ai pris la décision de vous faire examiner par notre médecin.

— Je vous assure, ma Mère, que c'est inutile.

— Je ne le pense pas : il vous faut un traitement reconstituant. Peut-être même sera-t-il nécessaire que vous alliez, pendant quelques mois, dans l'une de nos maisons de repos.

A cette annonce, une angoisse indescriptible était apparue sur le visage d'Elisabeth.

— Oh ! Je vous supplie, ma Mère, ne faites pas cela ! Il faut que je reste ici, parmi nos vieillards qui ont un tel besoin de nous, parmi toutes vos chères Sœurs au milieu desquelles je suis si heureuse !

Comment aurait-elle pu avouer qu'il fallait surtout qu'elle restât avenue du Maine pour y attendre les visites d'Agnès. Qu'adviendrait-il si la Sœur portière annonçait un jour à Agnès :

— Sœur Elisabeth n'est plus là. On l'a envoyée se reposer dans une Maison de province...

Agnès serait désemparée, elle qui ne continuait à venir à intervalles réguliers — Elisabeth le sentait — que pour trouver le réconfort dont elle avait besoin sans oser l'avouer.

Mère Marie-Madeleine, qui avait remarqué son désarroi, quand elle avait parlé d'un éloignement possible, dit alors :

— Une pareille déficience physique vient de tous ces jeûnes, de toutes ces heures de prière supplémentaires que vous vous imposez et que la règle de votre Ordre ne vous demande pas. Pourquoi ce surcroît de mysticisme et de privations que j'estime néfastes au bon accomplissement de la mission qui vous a été assignée parmi nous ? Ne comprenez-vous pas que le jour où vos forces vous trahiront complètement, vous devrez cesser toute activité et que nous en pâtirons ? J'ai besoin de toutes nos Sœurs : vous n'êtes déjà pas si nombreuses.

Elisabeth ne répondit pas : elle baissait la tête avec humilité.

— Oubliez-vous, continua la Supérieure, que vous n'appartenez pas à un ordre contemplatif mais essentiellement actif ? Que votre charité doit se traduire, avant tout, par une dépense physique incessante auprès de nos vieillards ? Que c'est là votre forme la plus utile de prière ? Que c'est Dieu lui-même qui vous demande de conserver intacte cette vigueur qui vous est nécessaire pour accomplir les humbles tâches que vous avez acceptées ? Pourquoi, depuis quelque temps, choisir la voie de Marie alors que vous n'êtes venue parmi nous que pour suivre la voie de Marthe ?

Sœur Elisabeth s'était agenouillée devant sa Supérieure :

— Je demande pardon à Dieu si j'ai enfreint la Règle de notre Ordre. J'en demande pardon également à vous, Très Révérende Mère...

— C'est bien, ma Sœur, de revenir à une plus juste compréhension de votre mission terrestre. Souvenez-vous des paroles de celle qui fut notre première Supérieure Générale, Sœur Marie de la Croix : « *Surtout, mes Sœurs, pas de zèle inutile dans votre labeur ! Remplacez-le par de la patience... N'essayez pas d'agir plus vite que le Bon Dieu.* »

— Je dois vous avouer que j'ai commis une grande faute... Je dois l'expier.

— Une grande faute ? Vous ? Et envers qui ?

— Envers ma sœur Agnès. Je l'ai trop négligée.

— Ne vous souvenez-vous pas que vous avez renoncé à ce monde et même à votre famille ?

— Je ne peux pas rester indifférente à une âme qui souffre et peut-être qui se perd...

— Qu'est-ce qui vous le fait supposer ?

— Ce qui touche à ma sœur jumelle, je le sens en moi, Révérende Mère. Elle ne m'a rien avoué, mais je sens qu'elle est en détresse.

— Vous êtes-vous confessée ?

— Oui, ma Mère.

— Et quel conseil Dieu vous a-t-il donné par la voix du Prêtre ?

— De prier pour ma sœur, tout en continuant d'être la petite servante des Pauvres.

— Ainsi soit-il ! Mais n'exagérez pas un devoir au détriment de l'autre ! Allez, ma Sœur.

Elisabeth retourna à ses humbles travaux. Mais elle eut beau s'y acharner, elle ne parvenait pas à oublier ce qu'elle appelait « sa grande faute » : la légèreté dont elle avait fait preuve, en croyant qu'il suffisait que l'une des jumelles priât dans la famille pour que l'âme de l'autre restât à l'abri des tentations du monde. N'avait-elle pas toléré qu'Agnès se fît mannequin ? N'avait-elle pas admis, presque encouragé, sa coquetterie ?

Aussi, malgré le sévère avertissement de la Mère Supérieure, malgré la sollicitude discrète de ses sœurs en religion, le cœur et l'âme d'Elisabeth continuèrent à se miner de semaine en semaine davantage. C'était plus fort que sa volonté, que sa foi ardente : jour et nuit, elle ne pensait qu'au sacrifice qu'elle devait faire pour obtenir du ciel qu'Agnès se libérât du secret qui pesait sur elle.

Un après-midi où sa jumelle venait la voir, Sœur Agathe, la portière, annonça à la visiteuse :

— Vous arrivez à temps. Notre Mère Supérieure voulait vous écrire. Sœur Elisabeth ne va pas très bien...

— Qu'est-ce que vous dites ? demanda Agnès subitement affolée.

— Elle s'est trop surmenée ces derniers temps... Vous avait-elle dit qu'elle avait déjà eu plusieurs évanouissements ?

— J'ai bien remarqué qu'elle n'avait pas très bonne mine, mais elle m'assurait que ce n'était rien... Des évanouissements ?

— Avant-hier, elle a eu une syncope beaucoup plus sérieuse... Nous avons dû appeler le médecin. Et savez-vous ce qu'il a découvert ? Je ne devrais pas vous le dire, mais enfin n'êtes-vous pas le seul membre de sa famille ? Elle portait un cilice et se meurtrissait quotidiennement les chairs, par pénitence... C'est beau, mais encore fallait-il que son organisme éprouvé par son labeur quotidien pût le supporter ! Elle a été transportée à l'infirmerie des Sœurs tellement elle est faible ! Je vais prévenir notre Révérende Mère que vous êtes là...

Le bureau de Mère Marie-Madeleine avait la même austérité que le parloir, avec cette seule différence que la statue de saint Joseph y était remplacée par un grand Christ cloué au mur.

— Mon enfant, dit Mère Marie-Madeleine en l'accueillant, votre chère sœur m'inquiète beaucoup. Malgré mes avertissements, elle a continué à s'infliger des pénitences corporelles qui affectent sa santé. J'ai beau m'interroger et prier Dieu de m'éclairer, je ne parviens pas à comprendre la véritable raison de ces sacrifices ! Notre aumônier lui-même reste très perplexe. Il semblerait qu'en plus de la soif légitime qu'elle a de se rapprocher chaque jour davantage de Dieu, Sœur Elisabeth soit torturée par une douleur morale qui l'oblige à agir ainsi ? Et j'en suis arrivée à me demander si vous ne seriez pas la cause indirecte de cette détresse ?

— Moi ? répondit Agnès dont le visage s'empourpra.

— Comprenez-moi... Il ne s'agit pas de vous rendre responsable de l'état de santé actuel de Sœur Elisabeth ! Mais vous savez à quel point elle vous chérit... Vous n'ignorez pas non plus que tous ici, vieillards et petites Sœurs, nous vous considérons comme l'amie de notre grande Communauté... Parce que nous vous aimons, nous nous demandons si un événement, indépendant de votre volonté, ne serait pas intervenu dans votre existence et si un tel événement n'avait pas comme contre-coup de bouleverser le cœur de votre jumelle... Si je me permets de vous dire cela, c'est uniquement parce que vous êtes toute sa famille et où pourrait-elle trouver d'autres motifs d'inquiétude au monde que chez vous ? Son amour terrestre a toujours été partagé entre ses vieillards et vous-même. Je ne pense pas que nos vieillards soient la cause de son chagrin : il ne reste donc que vous...

Il y eut un long silence avant qu'Agnès, très pâle maintenant, répondit :

— Puis-je aller voir Elisabeth à l'infirmerie ?

— Je vais vous y conduire moi-même. Sœur Elisabeth est dans la salle réservée à nos sœurs malades. En principe, les visites y sont interdites mais nous ferons une exception pour vous.

Juste avant de pénétrer dans l'infirmerie des Sœurs, Mère Marie-Madeleine se retourna vers Agnès qui l'avait suivie en silence dans les escaliers et les couloirs :

— Promettez-moi, s'il y avait un peu de vrai dans ce que je vous ai dit tout à l'heure, d'être assez franche avec vous-même pour le reconnaître et de tout faire pour que « notre » petite Sœur, à vous et à nous, retrouve son sourire qui nous manque tant !

— Je vous le promets.

Mère Marie-Madeleine s'approcha du lit, dans lequel était étendue Elisabeth, et annonça d'une voix qu'elle s'efforça de rendre joyeuse :

— Ma Sœur, voici une visite qui vous fera sûrement plaisir ! Je vous laisse toutes les deux... Et, pour une fois, vous aurez le temps de bavarder ! Mais attention, chère Agnès, ne laissez pas trop parler notre malade : elle est encore faible.

La Supérieure partie, Agnès put contempler, avec un mélange d'inquiétude et d'étonnement, un visage d'Elisabeth qu'elle n'avait encore jamais connu...

... Une Elisabeth qui ne portait plus de bonnet amidonné sous lequel sa jumelle l'avait toujours vue depuis qu'elle était entrée au noviciat. Pour la première fois, Agnès retrouvait les cheveux de la religieuse d'un blond doré comme les siens, mais coupés courts, rejetés en arrière, accentuant encore l'impression de jeunesse. C'était à la fois étrange et attirant. La pâleur du visage, sa minceur, achevaient de faire de la petite Sœur un être irréel.

Agnès s'approcha du lit et prit dans ses mains celles d'Elisabeth en disant très doucement :

— Ne parle pas, chérie... Je sais ce qui te rend malade... Je sais que c'est de ma faute... Je veux que tu guérisses : bientôt, je reviendrai te voir, ayant retrouvé la sérénité. Je t'aime petite sœur...

Elle se tut, gardant les mains d'Elisabeth dans les siennes, ses yeux perdus dans ceux de la petite Sœur. Un sourire effleura les lèvres d'Elisabeth et elles restèrent ainsi, silencieuses, jointes par les mains et par les yeux. Il semblait aux deux sœurs qu'une communication s'établissait entre leurs deux âmes, que leurs deux êtres n'en fissent qu'un, que la pureté de l'une s'infusât dans l'autre, et que l'impureté d'Agnès fut lavée par la source claire qu'était Elisabeth.

Quand Agnès quitta la Maison des Pauvres, elle remonta dans sa voiture avec des gestes d'automate. Elle gardait devant ses yeux l'image de sa sœur, et le mince visage pâle aux cheveux coupés courts se dressait devant son regard. Elle arrêta l'*Aronde*, incapable de discerner autre chose que ce visage qui l'obsédait, sentant qu'elle risquait un accident par l'impossibilité où elle était de concentrer son atten-

tion sur rien d'autre. Elle marcha comme une som-
nambule, le long du trottoir sans savoir où elle allait,
ni où elle se trouvait. Soudain, elle eut comme un
brusque réveil et s'arrêta : elle se trouvait devant un
salon de coiffure. Des têtes en cire y montraient des
chevelures très diverses : parmi elles, une tête aux
cheveux courts avait saisi son regard inconscient.
Elle entra dans la boutique.

— Coupez-moi les cheveux, bégaya-t-elle.

Le coiffeur, surpris, regardait cette cliente aux
yeux hagards. Une droguée ?

— Si Madame veut s'asseoir... Et quelle coupe
Madame désire-t-elle ?

— Courts, répondit une voix sans timbre. Très
courts...

— Madame a bien réfléchi ? Des cheveux pareils,
c'est dommage de les sacrifier tout à fait ? On pourrait laisser comme une auréole de boucles ?

— Non, dit-elle, tout plats, relevés en arrière, et
coupés très courts.

Le coiffeur ramena les cheveux, les tira, les brossa,
empoigna la touffe ainsi assemblée derrière la tête,
pour juger de l'effet, avant de prendre les ciseaux et
pour que la cliente pût en juger elle-même.

— Dommage ! dit-il.

— Coupez ! trancha-t-elle avec assurance.

Les boucles d'or tombèrent sous les ciseaux et, à
mesure que la tête se dégageait, Agnès semblait reprendre conscience. Dans le miroir, devant elle,
c'était le visage d'Elisabeth qu'elle retrouvait, et elle
s'en sentait exaltée.

— Plus courts encore, sur les côtés ; et dégagez mieux la nuque...

Elle avait retrouvé sa conscience et son calme et souriait à sa jumelle plus qu'à elle-même.

Quand ce fut fini, le coiffeur contempla le désastre et ses résultats.

— Après tout, dit-il, c'est un genre... Madame est satisfaite ? Si elle a des regrets, dans quelques semaines elle pourra envisager une coiffure plus étoffée.

— Oh ! Je n'aurai pas de regrets, dit joyeusement Agnès.

Ce sacrifice la ramenait vers Elisabeth. Se sentant loin encore moralement, elle s'en était instinctivement rapprochée par la ressemblance physique.

— Je pense que vous désirez conserver ces cheveux coupés ? demanda le coiffeur. Nous pourrions en faire un chignon ou un catogan qui vous serait très utile pour les toilettes de soirée.

— Brûlez ces cheveux. A l'avenir, je ne me coifferai jamais plus autrement.

Quand M. Bob la vit ainsi, il s'écria :

— Tu es folle ? De quel droit t'es-tu permis de couper tes cheveux ?

— N'ai-je pas le droit de disposer de moi-même ?

— Tu sais bien que non, et surtout pas pour t'enlaidir ! Mais qui t'a mis cette idée dans la tête ? Tu aurais pu me consulter : ça me regarde, ça me concerne, ton sex-appeal, ton rendement, ton travail...

Elle lui répondit avec une fermeté qu'il ne lui avait jamais connue :

— C'est ainsi qu'il me plaît de me coiffer désormais et je n'en démordrai pas ? S'il te faut une raison : c'est la conséquence d'un vœu.

Il haussa les épaules.

— Après tout, dit-il, c'est un genre qui se défend... Si, parmi tes clients, beaucoup regretteront tes boucles dorées, tu en trouveras certainement d'autres qui aimeront cet air un peu Jeanne d'Arc et même un peu garçonne. Ça te retire un peu de ta féminité, mais ça te rend peut-être intéressante...

Le lendemain après-midi, Agnès — qui roulait doucement dans son cabriolet blanc à la recherche de sa proie quotidienne — se trouva juste derrière une M. G. rouge conduite par une assez jolie fille brune.

Sans même savoir pourquoi, Agnès-Irma ralentit, non seulement pour ne pas dépasser l'autre voiture, mais pour laisser une plus grande distance entre les deux véhicules. Elle ne voulait pas que la conductrice de la voiture anglaise pût s'apercevoir qu'elle était suivie par une concurrente. Car il n'y avait aucun doute possible : la fille brune faisait le même manège, elle recherchait le client en voiture. Il n'y avait qu'à observer sa tactique habile pendant quelques minutes. Dès qu'une voiture un peu confortable, et dont le conducteur solitaire donnait l'impression d'être un personnage cossu, se rapprochait de la M. G., la conductrice se laissait dépasser pour que l'homme pût l'admirer. Ensuite, un coup d'accélérateur faisait bondir la petite voiture rouge qui dépassait à son tour la voiture de l'homme seul. A cet instant précis, la fille brune avait, pour le conducteur, un regard rapide et incendiaire où tout se mêlait : le défi, l'invite, l'aventure...

La tactique, qu'Agnès connaissait aussi bien que cette rivale, s'avéra rapidement efficace : le conducteur d'une *Chrysler* fut pris à l'hameçon et la grosse voiture américaine commença à suivre aveuglément la petite voiture anglaise. Agnès comprit que la fille brune était déjà gagnante et elle la laissa s'éloigner avec son suiveur.

Mais « la femme de Bob » ne put s'empêcher de repenser à Suzanne qui avait opéré exactement de la même façon dans une *M. G.* identique : seule la couleur était différente. La *M. G.* de la fille rousse était verte, celle de la fille brune, rouge : les couleurs complémentaires... Complémentaires ? Voiture et conductrice ne seraient-elles pas le remplacement de l'autre voiture et de l'autre conductrice ? Après tout, rien n'était plus facile que de repeindre une voiture... La *M. G.* verte était la propriété de « Monsieur Bob » qui avait déclaré l'avoir remisée dans un garage pour la vendre. Mais l'avait-il seulement vendue ? N'aurait-il pas trouvé plus lucratif de la remettre en circulation avec une nouvelle conductrice ? Il ne lui était pas difficile non plus de trouver une remplaçante à Suzanne : il y a toujours des femmes qui ne demandent qu'à devenir des filles...

Agnès n'avait pas eu besoin de regarder longtemps

la fille brune pour comprendre qu'elle était de cette espèce. Un coup d'œil avait suffi. La fille était jolie, mais vulgaire. Encore plus vulgaire que Suzanne. Pourquoi M. Bob n'aurait-il pas pour principe de faire « travailler » des femmes de genres très différents pour exploiter des classes variées de clients ? La prudence ne conseillait-elle pas, dans le métier, de ne pas mettre tous les œufs dans le même panier ? Pendant les trois années où elles avaient « rapporté » au même homme, les « routes professionnelles » d'Agnès et de Suzanne ne s'étaient jamais croisées...

Agnès se promit que le jour où elle verrait s'éloigner la fille brune à la recherche d'un client, elle lui parlerait et surtout essaierait de la faire parler. Elle voulait en avoir le cœur net : la fille ne connaissait peut-être pas du tout M. Bob ; mais si, au contraire, elle était la remplaçante de Suzanne, ce serait prodigieux ! Agnès, alors, mettrait tout en œuvre pour se faire d'elle une alliée.

Il lui avait fallu beaucoup de temps pour comprendre que le secret de la puissance du souteneur était de diviser pour régner, en évitant toute complicité entre ses sujettes. Jamais il n'avait voulu qu'Agnès et Suzanne pussent se revoir ; le jour où elles s'étaient retrouvées par hasard, il n'avait plus eu qu'une idée : les séparer. Après la disparition de Suzanne il pensait avoir parfaitement réussi mais il se trompait : depuis qu'elle était morte, la fille rousse était devenue dans l'esprit d'Agnès une véritable amie... Et elle voulait que la remplaçante — si c'en était vraiment une — devînt aussi son amie. L'union des victimes ne ferait-elle pas la force qui pouvait leur permettre de se libérer ?

Agnès était presque certaine de retrouver rapidement la fille brune qui, comme elle, devait se remettre en campagne tous les jours : le champ de son activité devait se limiter aux mêmes quartiers que ceux où Agnès-Irma opérait. Enfin, il n'y avait pas dans Paris tant de *M. G.* rouges conduites par des filles brunes !

Il ne fallut pas plus de quarante-huit heures pour qu'elle revît la *M. G.* rouge et sa conductrice descendre l'avenue George-V. Arrivée au carrefour de la rue François-Ier, la voiture vira à droite et s'immobilisa quelques mètres plus loin, devant « *La Calavados* », après avoir fait un demi-tour. La fille brune quitta sa voiture et entra dans le bar. Quelques instants plus tard, Agnès en faisait autant : toutes deux se retrouvèrent sur des tabourets voisins. A cette heure creuse de l'après-midi, l'établissement était à peu près désert.

Quand Agnès avait pris place devant le comptoir, la fille brune l'avait regardée avec insolence et dépit : l'insolence de la jeunesse — elle ne devait guère avoir plus de vingt-deux ans et, pour elle, la nouvelle venue était déjà une « vieille » — le dépit de voir une concurrente s'asseoir sur un tabouret juste à côté d'elle au lieu de laisser la place vide pour un client éventuel... Agnès avait tout de suite compris que pour cette fille, toute femme, quel que fût son type ou son allure, était automatiquement une concurrente. Sans doute possédait-elle ce sens qu'ont les filles de flairer immédiatement celles dont une certaine discrétion d'attitude et d'habillement dissimule leur véritable profession.

Agnès-Irma et l'inconnue, chacune devant un gin-tonic, s'observaient et se détaillaient réciproquement. La fille brune, chez qui toute pudeur semblait exclue, ne cherchait nullement à cacher son hostilité à l'égard de cette blonde racée qui ne s'était certainement installée près d'elle que pour lui faire du tort. Elle était loin de se douter qu'Agnès n'avait qu'un désir : faire sa connaissance, sans tenter de lui prendre sa clientèle. Elle ne recherchait que le moyen le plus habile d'entrer en conversation. Ce fut la fille qui le lui offrit en demandant d'une voix peu avenante, à peine tempérée par le sourire professionnel :

— Vous venez souvent ici ?

— Jamais ! répondit Agnès avec un sourire qui, lui, cherchait à être aimable.

— Vous êtes comme moi... On m'a dit que c'était plus animé le soir, mais moi je ne sors que le jour... Mon ami trouve que la nuit, c'est trop risqué...

— C'est un sage, dit Agnès, surprise de l'ingénuité de son interlocutrice.

— Si je vous parle de mon ami, poursuivit la brune, c'est parce que je me doute que vous en avez un aussi. Forcément, dans « notre » métier...

Agnès pâlit. C'était la première fois qu'on lui jetait ouvertement à la face que l'on n'était pas dupe de sa véritable profession... Elle avait cependant la conviction d'avoir tout fait pour éviter de paraître une

137

professionnelle. Nulle part, elle ne s'était affichée, ayant toujours pris la précaution de se rendre à domicile chez ses clients ou au sien propre, ou de ne les rencontrer que dans des maisons très discrètes. Elle avait également toujours « opéré » seule, évitant toute camaraderie avec d'autres femmes de cet emploi. Agnès savait qu'une femme soumise n'a qu'une idée : en entraîner d'autres, restées encore libres, pour qu'elles soient marquées à leur tour du sceau infamant. La jumelle d'Elisabeth croyait s'être gardée de pareille assimilation et, brusquement, une inconnue vulgaire lui donnait la gifle qui lui avait été jusqu'alors épargnée.

La fille, qui n'avait pas cessé de la dévisager, parut satisfaite de constater qu'elle venait de marquer un sérieux avantage en faisant comprendre à « cette prétentieuse » qu'elle n'était pas dupe, et elle poursuivit :

— Moi, je travaille surtout en voiture... Et vous ?

Agnès eut une courte hésitation avant de répondre, mais elle pensa qu'au point où elle en était, mieux valait entrer franchement dans le jeu : ce serait le seul moyen de se faire une amie de la fille, si elle était réellement la remplaçante de Suzanne. Dans le cas où elle ne connaîtrait rien de M. Bob, leurs relations se limiteraient à cet unique entretien. Et elle avoua :

— Moi aussi... Qu'est-ce que vous avez, comme voiture ?

— Une anglaise, répondit avec une fierté enfantine la fille. Une *M. G.*

— Félicitations ! Moi je n'ai qu'une *Aronde*... Ça doit valoir cher, ces *M. G.* ?

— C'est « mon ami » qui me l'a offerte...

Décidément, elle tenait à parler de « son ami » ! Elle y tenait tellement qu'Agnès en conclut que cette amitié devait être assez récente. Et elle dit :

— Il est généreux... Il y a longtemps qu'il est votre ami ?

— Vous êtes trop curieuse ! Je pourrais quand même vous le dire ; je ne risque rien : elle n'est pas encore née celle qui me le prendra !

— Ce ne sera sûrement pas moi ! Sachez qu'il n'y a pas que vous à avoir un ami qui l'aime...

— Vous aussi ? Quel est votre nom ?

— Cora.

Ce nom lui était venu naturellement. Si la fille parlait d'elle à qui que ce soit, et notamment à « son ami », mieux valait qu'elle ne mît pas en avant le prénom d'Irma et encore moins celui d'Agnès.

— Le vrai ? demanda la fille, un peu soupçonneuse.

— Le vrai.

— C'est élégant, Cora. Je trouve que ça fait femme fatale. Moi, je rêvais d'un nom dans ce genre-là, mais mon ami ne veut pas ! Il prétend que mon prénom de baptême me va beaucoup mieux : Jeanine.

— C'est gentil, Jeanine.

— Vous aussi, vous le trouvez ? Tout le monde me dit la même chose. Mais justement, c'est ce que je ne voudrais pas, dans le métier : avoir un prénom gentil ! La gentillesse, ça ne paie pas ! Il faut être une dure !

— Vous ne le pourriez pas ! Vous n'êtes pas aussi méchante que vous cherchez à le laisser paraître.

— Vous avez deviné ça ?

— Mais oui.

Le visage buté de la fille s'épanouit et ce fut en souriant pour la première fois naturellement qu'elle reconnut :

— C'est vrai : je dois être une sentimentale qui se cache... Si vous saviez comme je m'attache !

— Dangereux, dans le travail...

— Actuellement, il n'y a rien à craindre : je suis complètement à mon Fred. Avec les autres, ce n'est que du trompe-l'œil !

— Il s'appelle Fred ?

— Oui. Et le vôtre ?

— André.

— En somme, nous avons de la chance toutes les deux ?

— Beaucoup de chance...

— On se tutoie ?

— J'allais te le proposer !

— Cora.

— Jeanine...

L'amitié se nouait.

Malheureusement, elle serait sans doute inutile : le fameux « ami » se prénommait Fred... Un « Monsieur Fred » qui n'était pas « Monsieur Bob »... Mais pourquoi, après tout, ne serait-il pas aussi « Monsieur Bob » puisqu'elle-même, Agnès-Irma, prétendait se nommer Cora ? Peut-être n'était-il pas plus Fred que Georges ? Il lui avait bien fallu se parer d'une identité quelconque pour faire la conquête de la fille. Et M. Bob avait le talent de savoir imposer une fausse identité : Georges Vernier, grand spécialiste d'import-export... Pourquoi une fille sentimentale et sensuelle ne tomberait-elle pas dans le même traquenard qu'une Agnès ? La fille était amoureuse — elle s'en vantait — comme l'avaient été Agnès et Suzanne... Elle était donc mûre pour tout croire, pour tout endurer... Quand ses yeux s'ouvriraient enfin, ce serait trop tard : elle serait prise dans l'étau, comme Agnès l'était en ce moment. Et elle aussi penserait alors à se libérer...

L'instinct qui avait poussé la conductrice de l'*Aronde* blanche à suivre la *M. G.* rouge, continuait à lui faire croire que cette fille brune était bien la remplaçante de Suzanne. Et elle posa la question-clef, anodine en apparence, mais qui pouvait l'édifier :

— Il va falloir que je me sauve... Quand nous voudrons nous revoir, comment ferons-nous ? Le téléphone ?

— J'ai bien un numéro, mais Fred n'aimerait pas que je le donne... D'habitude, je me fais transmettre les messages pour les rendez-vous à un bar qui est rue Caumartin. Ils y sont très complaisants. Tu n'as qu'à me demander ou à laisser la commission : j'y passe tous les soirs vers huit heures, avant de rentrer chez moi... Note le téléphone : OPEra 93-11. Et toi, si je veux te joindre ?

— Moi aussi, j'ai un numéro personnel. Seulement, c'est la même chose que toi : j'habite avec André.

— Avec lui ? répéta Jeanine admirative. Depuis combien de temps ?

— Trois ans.

— Trois ans !

L'admiration devint du respect avant même que la fille eût poursuivi :

— Moi, j'ai eu mon Fred presque tous les soirs pendant quelques semaines au début, et il restait tard dans la nuit. Mais maintenant, il est obligé de rentrer beaucoup plus tôt chez lui. Il est marié.

— Marié ?

— Oui. Il m'a dit que sa femme était très jalouse... Alors je le vois généralement au début de l'après-midi, avant d'aller faire de la clientèle.

— Et tu travailles pour lui, le sachant marié ?

— Evidemment, puisque je l'aime et qu'il m'aime !

— Mais l'argent que tu rapportes doit servir à entretenir sa femme légitime ?

— Jamais de la vie ! Fred est honnête ! Sa femme est une véritable chipie, qui est riche mais qui ne lui donne jamais un sou : elle garde tout pour elle ! Il y a des femmes comme ça, dans la bourgeoisie. Aussi ce pauvre Fred est-il bien content d'avoir sa petite Jeanine. Et puis, je lui dois bien cela : il en a fait assez pour moi ! La *M. G.*, elle est à lui : c'est même le seul cadeau que lui ait jamais fait sa femme ! Eh bien, tu vois, il l'a mise à ma disposition ! N'est-ce pas très chic ?

— Oui. Mais sa femme, qu'est-ce qu'elle dit de ne pas rouler en voiture ?

— Ils en ont une autre... une *Chevrolet*.

Agnès frémit, pendant que la fille continuait :

— D'ailleurs, Fred n'a pas fait que ça pour moi !

— Quoi encore ?

— Il m'a trouvé un beau logement meublé, avenue Carnot... Tu connais ?

— Vaguement...

— Un jour où je serai sûre qu'il reste avec sa femme, je t'y inviterai en douce... Tu verras : c'est très bien.

— Depuis combien de temps habites-tu là ?

— Trois mois environ...

— Et avant, où étais-tu ?

— Dans un petit hôtel que je détestais, rue Pigalle...

— C'est à ce moment-là que tu as rencontré ton Fred ?

— Je le connaissais depuis plus longtemps, six mois, peut-être. Nous avons fait connaissance par hasard dans un bar, rue de Ponthieu.

— Rue de Ponthieu ? répéta Agnès, saisie.

— Oui... Presque à l'angle de la rue de la Boétie... J'y étais entrée parce que j'étais dégoûtée : il me restait tout juste de quoi me payer une consommation... Fred était là, en client, seul lui aussi... Il avait l'air d'avoir un de ces cafards ! Mais lui ce n'étaient pas les ennuis d'argent ! Il était triste parce que personne ne l'aimait à commencer par son égoïste de femme ! Il a payé ma consommation et m'en a offert une autre. Ensuite, il m'a invitée... Je suis montée dans sa belle *Chevrolet* bleue. Nous avons été dîner sur une péniche-restaurant amarrée près de Saint-Cloud. Tu connais ?

— J'y ai été... Mais il y a plus longtemps que toi !

— Là, il m'a interrogée. Je lui ai dit la vérité : que j'étais arpète dans une maison de couture qui venait de licencier brusquement son personnel, après faillite ; qu'un Syndic nous avait tous réunis pour nous dire que nous serions payés mais qu'il faudrait attendre quelques jours... Pour moi, c'était la catastrophe ! Fred s'est montré vraiment gentil. Il m'a promis de s'occuper de moi et il m'a reconduite à mon hôtel. Quand il a vu l'entrée de la baraque, il m'a dit que ce n'était pas un endroit pour une jeune fille telle que moi...

— Parce que tu étais encore jeune fille à ce moment-là ?

— Enfin, presque, quoi ! Comme tout le monde, j'avais eu mes petites aventures... Fred a ajouté qu'un jour il faudrait que je change de quartier et il m'a glissé dans la main cinq mille francs... Je ne les oublierai jamais ces cinq mille francs ! Ils ont été pour moi à la fois une délivrance, parce qu'ils me permettaient de payer ma semaine d'hôtel, et une révélation parce qu'ils me faisaient comprendre qu'on pouvait gagner de l'argent en faisant de bons dîners dans des endroits chics et sans s'éreinter la santé huit heures de suite dans des ateliers ! De cela, je lui serai toujours reconnaissante.

— Quel âge a-t-il ?

144

— Tu voudrais bien le connaître, hein ?... Seulement, ça, pas question ! Je le garde pour moi ! Il m'appartient, tu comprends ?

— Je comprends... Le soir où il t'a donné cet argent, il n'est pas monté avec toi dans ta chambre ?

— Fred faire ça ? Ce n'est pas son genre ! C'est un Monsieur ! Il est reparti après m'avoir fixé un rendez-vous pour le lendemain au même bar de la rue de Ponthieu, à trois heures... Tu penses si j'y ai couru !

— Et après ?

— Après ? C'est ce jour-là que je suis devenue sa femme... sa « vraie », parce que l'autre il me l'a dit cent fois, elle ne compte pas !

— Tu l'as vue, l'autre ?

— Non.

— Il ne t'a même pas montré sa photo ?

— Si tu crois qu'il l'aime au point de la porter sur son cœur ! Et elle ne m'intéresse pas : tout ce que je sais, c'est qu'elle est plus vieille que moi... Ça me suffit !

— Une fois que tu es devenue sa femme, il s'est occupé de toi ?

— Il m'a aidée à tenir le coup jusqu'à ce qu'il m'ait installée dans le meublé.

— Tu n'as donc pas cherché du travail dans une autre maison de couture ?

— Fred n'a pas voulu. Il m'a dit très justement qu'il n'y avait aucun avenir pour une femme dans cette profession : aussi bien pour les mannequins que pour les ouvrières... Les mannequins ont encore la chance de pouvoir se faire offrir des dîners ou des sorties dans les boîtes... Mais nous !

— Il t'a habillée ?

— Oui... Surtout, depuis que j'habite avenue Carnot... Le mois dernier, il m'a apporté un très beau manteau d'astrakan avec un col de vison.

— Un col de vison ?

— Je le mettrai un jour pour que tu puisses le voir.

— Alors, tu n'as commencé à « travailler » pour Fred qu'après ton installation ?

— Avant, il fallait bien qu'il me mette au courant, qu'il m'affranchisse, quoi ! Je n'y connaissais rien, au métier !

— Et ça te plaît ?

— Cette question ! Comme à toi ! On est toutes pareilles : on en a marre de bosser en s'éreintant la santé pour gagner des clous ! Maintenant, j'ai une vie agréable : j'ai toujours eu horreur de me lever tôt, j'ai ma voiture, mon meublé, un homme que j'aime... Enfin tout ! Et toi, qu'est-ce que tu faisais avant de rencontrer André ?

— Rien. Je vivais dans ma famille...

— Tu en as une ? Moi pas : je viens de l'Assistance... Alors qu'est-ce que je risquais ? Mais toi, tu as quitté les tiens ?

— Ils sont morts.

— Je comprends : toi aussi, tu t'es sentie seule... Je connais ça : c'est pire que tout ! Si je n'avais pas rencontrée Fred, je crois que je me serais flanquée à l'eau... Vois-tu : il est tout pour moi ! Je suis sûre qu'avec André, c'est la même chose ?

— C'est vrai...

— Mon plus beau rêve serait de pouvoir l'épouser ! Seulement, il y a l'autre qui s'accroche...

Agnès la regarda longuement, avec une sympathie naissante mêlée de pitié. Toutes ces réponses, tous ces projets, elle aurait pu les faire elle aussi, quelques mois plus tôt devant une Suzanne, si celle-ci avait pris le temps de l'interroger. Aucun doute n'était plus possible : « Monsieur Fred » était bien « Monsieur Bob »... La tactique employée à l'égard de la petite arpète était signée de sa griffe. Ce qui fascinait le plus Agnès était que le souteneur n'avait même pas attendu la mort de Suzanne pour la remplacer ! Doucement, en cachette, il avait été se réapprovisionner rue de Ponthieu. Et il y avait trouvé exactement celle qui serait assez vulgaire pour succéder à la fille rousse auprès d'une certaine clientèle. Selon ses habitudes, il avait fait son nouveau choix dans le monde de la couture mais il n'avait pas recherché, cette fois, « le » mannequin. Il s'était contenté d'une fille recrutée dans le petit personnel mais qui, pour lui, avait son prix.

— Nous bavardons beaucoup trop, dit Agnès, et le temps passe... Je suis heureuse d'avoir fait ta connaissance. Comme je suis ton aînée...

— Pas de beaucoup !

— Tout de même ! Ce privilège me laisse le droit de t'offrir ton gin-tonic. J'ai constaté tout à l'heure, pendant que nous nous observions stupidement et

sournoisement, que nous avions les mêmes goûts...
Barman, payez-vous !

Elle jeta sur le comptoir un billet : ce geste lui
rappela celui de Suzanne payant un jour un taxi
place du Trocadéro avant d'ouvrir la porte de sa
M. G., et disant, sur un ton qui n'admettait aucune
résistance : « Monte ! »

C'était elle, Agnès, qui commandait à son tour celle
qui n'était encore qu'une novice. Et cela lui permettait de mesurer l'ampleur du chemin parcouru.
« L'apprentie », la crédule, celle qui croyait à l'amour
d'un certain « Monsieur Fred », c'était l'autre...

— Tu restes ici ? dit Agnès.

— Inutile, répondit Jeanine. Il n'y a pas de clients !
Quand m'appelles-tu, au numéro que je t'ai donné ?

— Demain soir. Nous prendrons rendez-vous pour
après-demain.

— D'accord !

Elles rejoignirent leurs voitures respectives. Agnès
ne se pressa pas trop, voulant voir démarrer la
M. G. avec sa nouvelle conductrice. Une brune avait
remplacé une rousse ; pour mettre en valeur une
brune, le rouge vif de la carrosserie était plus indiqué que le vert qui convenait à une rousse. Mais
l'ombre du même homme se profilait toujours derrière la *M. G...*

Quand Agnès retrouva Bob, elle se garda bien de
lui faire part de sa rencontre avec la fille brune.
L'homme était de bonne humeur. Après qu'il eut
compté la recette, il daigna se montrer ravi.

— Qu'est-ce que tu fais ce soir ? demanda-t-il, bon prince.

— Rien de spécial.

— Pas de rendez-vous ?

— Non : repos ! J'avais l'intention d'aller au cinéma.

— Le cinéma ! Vous êtes toutes pareilles : des enragées de l'écran ! Puisque tu es libre, je t'invite...

— Où cela ?

— A Enghien : nous y ferons un bon dîner au casino et, ensuite, j'irai tenter ma chance... Tu verras : ça t'intéressera et ça vaut tous les films du monde :

— En quel honneur, cette invitation ?

— Pour parfaire ton éducation, mon petit ! Tu comprendras vite.

Trois heures plus tard, M. Bob était assis devant le tapis vert avec, pour voisines de jeu deux femmes couvertes de bijoux, qui n'étaient plus toutes jeunes. Agnès, qui s'était d'abord installée debout derrière lui, était passée de l'autre côté de la table, à droite du croupier, pour pouvoir mieux observer son amant dans l'exercice de son activité favorite.

Pendant le repas, il lui avait dit : « Tu me verras opérer, et tu te rendras compte de ce dont je suis capable. » Il l'intriguait déjà. C'est avec une assurance très désinvolte qu'il s'était rendu dans la salle de jeu et qu'il s'était muni, à la caisse, de plaques de cinq mille francs. « Je ne joue jamais moins », avait-il expliqué. Il avait jeté négligemment des liasses de billets : cinquante plaques, cela faisait deux cent cinquante mille francs. « Voilà où va notre argent, se dit-elle, celui que je rapporte, celui que rapporte Jeanine... Mais s'il joue souvent des sommes pareilles, elle et moi n'y pourrions suffire ! D'où vient le surplus ? Mystère ! »

M. Bob avait une veine insolente : les plaques s'accumulaient devant lui, sous les regards envieux des autres joueurs. De temps en temps, il avait pour Agnès un regard de triomphe qui semblait dire : « Tu vois l'homme que je suis ! » Agnès estima qu'il avait devant lui plus d'un million. Sans éclater, sa satisfaction s'épanouissait dans son attitude, dans son geste large et aisé, dans sa moue très supérieure et dans un regard mi-clos, où des paupières basses filtraient — sans l'éteindre — le feu de ses yeux.

Agnès, elle, était fascinée. L'homme qu'elle voyait lui en imposait. Elle découvrait en lui un être nouveau qu'elle ne connaissait pas. Un personnage qui n'était plus dans la vie ni dans le temps, et qui s'évadait bien au-dessus du maniement des cartes, du tapis vert et des annonces du croupier, pour accéder à un autre monde, comme les poètes, les surhommes, les funambules ou les drogués. Tous ceux, d'ailleurs, qui étaient assis autour de la table, participaient à la même évasion, mais M. Bob les dominait : il était *le joueur*.

Plusieurs fois, la jeune femme avait eu envie de lui crier :

— Arrête-toi ! Tu ne vois donc pas que tu as qua-

150

druplé tes mises ? Avec tout cet argent, tu pourrais nous laisser faire relâche un bon bout de temps.

Mais elle restait muette, n'osant intervenir dans cet univers qui n'était pas le sien, et sentant d'ailleurs que ce serait inutile : il ne s'agissait pas de perdre ou de gagner... Il s'agissait de vibrer amplement, de s'exalter, d'aller toujours plus haut, toujours plus loin, d'atteindre des paroxysmes. A ce jeu-là, elle sentait qu'on ne pouvait plus s'arrêter tant qu'on avait des plaques devant soi. Elle sentait aussi que lorsqu'il n'en aurait plus, tous les moyens lui sembleraient bons pour s'en procurer d'autres : la prostitution de malheureuses, le vol, le crime peut-être ? Les cartes lui brûlaient les doigts. Il était empoigné par ce vice comme d'autres le sont par la boisson. Plus elle l'observait et plus elle le sentait ivre de jeu, saoulé par l'attrait immédiat du risque, frôlant avec délectation une sorte de folie. Et Agnès, effarée, comprenait enfin la véritable raison pour laquelle l'homme insatiable l'avait entraînée vers la déchéance. Elle comprenait aussi qu'il n'aurait pas de pitié, qu'il ne pouvait plus en avoir. Son cerveau, son cœur, son âme étaient entièrement au jeu, rien qu'au jeu ! Le reste ne comptait pas.

Devant cette révélation brutale, devant ce spectacle insensé, la jeune femme manqua défaillir : elle dut s'agripper au dossier du fauteuil du croupier derrière lequel elle s'était placé, et elle regardait, roide de stupeur, les cartes continuer leur danse entre les mains de l'impassible maître de ballet... Elle ferma les yeux, épouvantée.

Quand elle les rouvrit, M. Bob n'avait plus de plaques devant lui... Il la regardait. D'étincelants qu'ils étaient quelques minutes plus tôt, ses yeux avaient retrouvé leur froide lueur, leur lueur d'acier. Il gardait une moue hautaine et un demi-sourire crispé. Il retombait sur terre et, bien qu'il se raidît, elle sentait qu'il avait peine à reprendre pied.

Il abandonna sa place qui fut aussitôt prise par un autre joueur, impatient, lui aussi, de connaître les mêmes sensations, la même griserie... En se levant, il lui avait fait signe. Elle le rejoignit, docile, comme si elle avait été elle-même droguée par l'atmosphère de la salle de jeu.

Les seules paroles qu'il trouva à lui dire furent :

— Tu m'as porté la poisse. Tu as le mauvais œil ! Je n'aurais pas dû t'amener ici.

— Mais, Bob...

— Tais-toi ! Est-ce qu'il te reste de l'argent dans ton sac ?

— Deux ou trois mille francs, je crois...

— Purée ! dit-il avec mépris et, peut-être, avec de la haine.

Elle le regardait, médusée.

— Eh bien, quoi ? continua-t-il. Tu ne te figures tout de même pas que je vais me couvrir de ridicule en jouant une somme aussi dérisoire ? J'ai ici ma réputation à soutenir. Il faut absolument que je me refasse ! Tu vas m'aider. Il te reste de quoi nous offrir deux wiskies au bar. Viens !

Ils étaient installés depuis quelques instants, mornes, devant leurs verres, quand il lui dit :

— Tu vois l'homme qui s'approche... C'est un gros joueur, toujours plein aux as ! Fais-lui un coup de charme, il adore ça... Il te passera quelques plaques que tu me refileras après. Compris ? Je disparais...

Le « gros joueur », jovial, ne fut pas long à engager la conversation. Le plus adroitement qu'elle put, Agnès se mit en devoir de lui expliquer qu'elle avait été poursuivie toute la soirée par une malchance persistante...

— Inutile de continuer ! répondit avec bonne humeur le joueur. J'ai compris : tenez ! Essayez de vous refaire. Si ça marche, vous ne mettez de moitié dans vos gains ; si ça ne marche pas, n'insistez pas et rentrez bien sagement chez vous. Il y a des jours, comme ça, où il n'y a rien à faire ! Surtout ne vous frappez pas : une belle fille comme vous peut toujours se rattraper en amour ! A votre disposition là aussi !

Il avait placé devant elle, sur le comptoir du bar, avant de retourner vers le jeu, cinq plaques de dix mille francs. Elle les prit et alla retrouver Bob pour les lui passer. Quand il les eut en main, il les soupesa négligemment, disant dans une moue :

— Ce n'est pas le Pérou, mais enfin...

Deux minutes plus tard, il était à nouveau assis devant un autre tapis vert. Et la danse recommença devant Agnès qui ne quittait pas des yeux les plaques qu'elle venait d'apporter. Il lui sembla que c'était toute sa fortune qui se jouait. Elle se sentait empoignée à son tour par cette même fièvre démoniaque qui travaillait Bob... Quand elle le vit abattre son jeu, elle sentit son cœur s'arrêter ; mais, lorsqu'il mit en petites piles devant lui les nouvelles plaques qu'il venait de gagner, elle fut prise d'une joie violente. Bob était vraiment un grand joueur ! En quelques secondes, il avait réussi à amasser à nouveau trois cent mille francs devant lui : les trois cent mille perdus... Elle n'avait même plus envie de lui crier de s'arrêter. Il ne l'aurait pas fait, d'ailleurs il continua... Bientôt, il eut le double, puis le triple ! Il l'avait bien dit qu'il referait son million... Au prochain coup, ça y serait !

Grisée, elle s'en voulait de n'avoir vu dans Bob que l'homme du plaisir charnel : il était le maître de tous les plaisirs. Et elle se prit pour lui d'une sorte d'admiration... Dans son genre — Suzanne l'avait bien dit — c'était un homme prodigieux !

Le prodige fut de courte durée : quelques cartes abattues à nouveau sur le tapis avaient suffi pour qu'à nouveau tout s'évanouit : il n'y avait plus rien devant Bob. Cette fois, il la regarda avec un visage décomposé. Alors, ce fut plus fort qu'elle : elle ne cria pas, elle ne se sentit pas défaillir, elle fut prise d'un rire nerveux qui la secoua. Tous les joueurs se retournèrent avec réprobation, mais elle ne pouvait même pas y prêter attention : son rire devenait hystérique. Bob continuait à la regarder avec une fureur froide. Et, brusquement, il quitta la table pour aller vers elle. Il la saisit violemment par le poignet et l'entraîna vers la sortie en disant :

— Ça te fait rire ? Tu te moques de moi maintenant ? Veux-tu ma main sur la figure ?

Dire qu'un moment, elle avait failli prendre Bob pour quelqu'un, pour une manière de seigneur, et qu'elle s'était émue, presque reconquise, en regardant cet être-là, ce pantin ! Le rire se transforma en larmes silencieuses.

Quand ils furent dans la voiture, rentrant vers Paris, il lui dit :

— J'espère que tu as compris ?

— Quoi ?

— Tu ne te figures pas que je t'ai amenée ici pour te distraire, non ? Tu n'as donc pas compris que, si tu le voulais, le soir, après ton travail, tu pourrais encore m'aider ?

— Ce que je fais dans la journée ne te suffit donc pas ?

— Cet argent que tu rapportes, tu aurais au moins la chance de voir son emploi ! Ça ne te passionnerait pas ? Tu verrais au moins que j'en fais un noble usage !

— Mais Bob... ces économies dont tu m'as parlé quelquefois ?

— Ah, non, pas ce mot-là ! Ça ne te va pas, ni à moi ! Tu me prends pour un bourgeois ? Bob et son bas de laine, tu vois ça ? L'argent pour l'argent, je m'en fiche !

Et, comme elle ne répondait pas, il ajouta plus bas :

— Toi aussi, d'ailleurs : tu me l'as prouvé depuis trois années en me donnant tout.

Elle continuait à pleurer doucement.

— Ce sale argent, dit-elle, venu d'où nous savons

qu'il vient, tu peux bien l'envoyer en fumée : du moins n'en sentirai-je plus l'odeur.

— Eh bien, tu vois, ricana-t-il : la découverte de ce soir, c'est que je ne suis pas plus intéressé que toi !

— Ça ne nous tire pas de l'enfer, balbutia-t-elle.

— Alors, dis, tu voudras bien revenir ? Les soirs où ça ne marchera pas fort, comme aujourd'hui, on appliquera la même méthode : tu iras au bar... On y trouve toujours un micheton tout disposé à éblouir les jolies-filles-qui-n'ont-pas-eu-de-chance, à fêter sa veine — ou à se consoler de sa guigne — en galante compagnie.

Elle haussa les épaules... Que répondre ?

La réponse intime, secrète, toujours la même, quand elle sentait son impuissance, résonnait au fond de son cœur : Elisabeth !

Agnès revint le matin même avenue du Maine. Elisabeth était toujours à l'infirmerie. Avant de se rendre à son chevet, Agnès eut une courte conversation avec Sœur Agathe, la portière.

— Le médecin est-il revenu ?

— Hier. Il a dit que ce sera long. Notre chère malade ne réagit pas. Elle, si vaillante ! On n'y comprend rien.

Agnès ne répondit pas : elle savait que la petite Sœur ne retrouverait toute sa vitalité que le jour où elle sentirait que sa jumelle était enfin délivrée de son angoisse. Mais que faire ? Lui dire maintenant la

156

vérité ? Dans l'état où se trouvait Elisabeth, ce serait la frapper d'un nouveau coup qui l'éprouverait davantage. Mieux valait continuer à garder le silence. La seule chose qu'Agnès pouvait faire pour influencer le moral de la malade était de se montrer enjouée, heureuse de vivre, comme si le cauchemar secret était complètement oublié. Et, pendant qu'elle montait vers l'infirmerie des Sœurs, elle fit tout pour tenter de se composer une attitude souriante et détendue.

— C'est encore moi, dit-elle en s'approchant du lit. J'ai décidé de venir te voir très souvent... Sais-tu que je te trouve meilleure mine ?

Elle mentait, mais il le fallait. En réalité, Agnès était effrayée par la pâleur du visage d'Elisabeth. Sa maigreur aussi s'accentuait. Les yeux fiévreux semblaient s'être encore agrandis pour la regarder avec une amitié qu'elle avait du mal à soutenir. Ce regard, de plus en plus interrogateur, bouleversa la jeune femme à un tel point que toutes les résolutions de fausse gaîté s'effondrèrent en quelques instants.

Après l'avoir longuement regardée ainsi, la petite Sœur finit par demander :

— Pourquoi as-tu coupé tes beaux cheveux ?

Des larmes montèrent dans les yeux d'Agnès.

— Je ne sais pas, balbutia-t-elle. Une idée comme ça... La mode, aussi...

Elle ajouta, avec un pauvre sourire :

— Cette mode, c'est à croire que c'est toi qui l'as lancée. Effectivement, le coiffeur m'a refait ta tête ! C'est drôle, tu ne trouves pas ?

Une exquise divination avait éclairé le visage

d'Elisabeth. Elle prit la main d'Agnès et la porta à ses lèvres :

— Chère sœur, dit-elle, je n'ai jamais douté de toi...

Pour faire diversion à l'attendrissement qui les gagnait toutes les deux, Agnès dit avec brusquerie :

— J'aurais tant voulu t'apporter quelques fleurs. Mais je crois que c'est interdit.

— Nous n'avons même pas droit à des fleurs sur notre tombe ! confia Elisabeth dans un faible sourire. Une croix de bois nous suffit et c'est très bien ainsi...

— Sais-tu que tu n'es pas gaie ?

Et, pendant quelques minutes, la visiteuse fit un nouvel effort pour parler de sa maison de couture, de la collection nouvelle en préparation. Mais, très vite, elle comprit que la malade ne s'intéressait plus à des choses auxquelles elle ne croyait peut-être plus et, craignant de ne pas pouvoir continuer à garder longtemps ce ton enjoué, elle préféra écourter la visite.

— Je viendrai souvent, dit-elle, mais pas longtemps pour ne pas trop te fatiguer... Avant de te quitter, je voudrais tout de même que tu saches que je suis redevenue heureuse !

— Tant mieux ! Je le redeviendrai aussi.

Cela avait été dit faiblement, et plus comme un souhait que comme une constatation. Agnès comprit que sa jumelle avait cessé d'être dupe, mais que peut-être un peu de confiance lui revenait.

Dans son trajet de retour vers la rive droite, elle

passa devant Saint-François-Xavier et, brusquement, elle freina. Une force secrète l'incitait à pénétrer dans l'église.

Elle s'arrêta, interdite, dès que la porte à capiton se fut refermée sur elle. Etait-elle seulement digne de s'introduire dans la maison de Dieu sans y avoir été invitée ? La pensée d'Elisabeth, sa présence même, l'encouragèrent. Elle s'avança dans la nef, sans pouvoir prier, sans oser prier. Elle fit le tour de l'église, reconnut sur un pilier saint Joseph : elle avait donc déjà un ami dans ce sanctuaire ! Derrière le maître-autel, elle s'arrêta devant la Vierge à l'Enfant Jésus. Elle se souvint de celle qu'époussetaient les sacristines dans la chapelle du couvent : cela lui donna quelque familiarité avec l'image.

Quand elle sortit de l'église, la paix était en elle, et un peu d'espoir...

La morne existence n'en continua pas moins, partagée entre les visites à la malade et l'exercice du « métier » qui devenait un véritable calvaire. Peu à peu, mais sûrement, l'horreur morale prenait le pas sur l'habitude.

Sans y avoir jamais pris goût, comme une Suzanne, elle avait bien été obligée de se familiariser avec la profession. Entraînée dans l'engrenage, elle était devenue l'un de ces rouages qui ne pouvaient plus se détacher de l'immense machine de prostitution. Le seul être au monde, qui aurait pu l'aider à réaliser ce miracle, était justement celle à qui elle n'osait rien révéler. Et elle ne voyait personne autour d'elle à qui elle aurait pu demander assistance. Jeanine, qu'elle avait réussi à s'attacher, n'était qu'une pauvre fille, et les clients — même ceux qui jouaient les bons Samaritains ou les philanthropes — ne lui inspiraient aucune confiance. Seule, elle ne pourrait jamais se libérer. La révolte grandissante de sa conscience s'alimentait encore du souvenir des sages enseignements de sa jeunesse commune avec Elisabeth, du regret d'un passé honnête. Ainsi torturée, la malheureuse ressemblait à ces grands oiseaux blessés qui ne peuvent plus donner le battement d'ailes capable de les arracher au sol où ils sont tombés et de les rendre à nouveau libres.

Le besoin de charité, chez Agnès, se faisait de plus en plus sentir dans l'amitié assez insolite qui la liait à l'autre « protégée » de M. Bob : Jeanine. Selon la promesse faite, Agnès lui avait téléphoné au bar de la rue Caumartin le lendemain de leur première rencontre. Un rendez-vous avait été pris. C'était Agnès qui en avait fixé le lieu : le bar de la rue Marbeuf qu'elle détestait, mais où elle était certaine de ne pas rencontrer Bob. S'il l'avait fréquenté, ce n'aurait pas été cet endroit que Suzanne aurait choisi pour la voir.

Quand elle entra dans le bar où Agnès-Irma l'attendait, la fille brune portait le manteau d'astrakan à col de vison dont elle avait parlé.

— Tu vois : je ne l'ai mis que pour te le montrer, parce que je crève de chaud là-dessous ! Il est beau, hein ?

— Très beau...

Agnès avait reconnu le manteau que portait Suzanne le soir de la pendaison de la crémaillère, ce qui renforça en elle la certitude du rôle exact que M. Bob avait tenu dans la mort de la fille rousse. Après avoir « contribué » au suicide, il n'avait pas oublié d'emporter ce manteau qui avait quelque valeur et qu'il avait sans doute « prêté » à Jeanine comme la M. G... Un jour viendrait, si Agnès ne parvenait pas à y mettre bon ordre, où le manteau serait sur le dos d'une autre fille que la petite Jeanine : avec un M. Bob, on pouvait prévoir que les fourrures duraient plus longtemps que celles qui les portaient.

— Sais-tu, Cora, que je suis très contente de te connaître ? C'est vrai : avant toi je n'avais aucune amie. C'est difficile de s'en faire, dans le métier, surtout si on a un peu de succès ! Toutes les autres vous jalousent ! Elles m'en veulent d'opérer en M. G. Toi, au moins, tu n'es pas comme elles ! Et tu t'en fiches ; tu as aussi ta voiture ! J'ai beaucoup pensé à toi hier soir...

— Tu as dit à Fred que tu m'avais rencontrée ?

— J'ai hésité, mais je ne l'ai pas fait. Ça ne le regarde pas. J'ai bien le droit d'avoir mes petits secrets, non ? Je lui rapporte tout mon fric, c'est déjà beaucoup... Et toi, tu n'as pas parlé de moi à ton André ?

— Pas plus bête que toi ! Il serait jaloux...

— Une amitié entre femmes, ça ne regarde pas les hommes.

— Ne trouves-tu pas que ce serait sympathique de

nous retrouver ici tous les jours — sauf les dimanches et jours de fête, bien entendu — enfin les jours
où on ne travaille pas ! A cette même heure pour
prendre le café ? Tu veux bien ?

— Ton idée est excellente.

— Elle est surtout commode : c'est vrai, aussi bien
pour toi que pour moi, le vrai « travail » ne peut
guère commencer avant deux heures et demie, quand
les types « à fric » ont fini de déjeuner. Notre clientèle prend son temps à table, sinon ce ne serait pas
une clientèle sérieuse ! Aujourd'hui, c'est moi qui
paie le café, demain ce sera toi. Ainsi, tout le monde
y trouvera son compte !

— Entendu !

— Et nous faisons un pacte : celui de ne jamais
nous chiper un client, s'il nous arrivait de lever le
même homme en voiture...

— C'est juré !

Depuis cet étrange serment, l'amitié n'avait fait
que grandir entre elles. Comme l'avait souhaité Agnès,
l'ancienne arpète s'était très vite montrée pleine de
respect et d'admiration pour son « aînée ». Après
quelques semaines, la confiance de Jeanine fut
totale. Elle lui racontait tout : ses aventures quotidiennes, ses succès et ses déboires de fille, ses es-
poirs, ses rêves de midinette qui avait abandonné
son métier pour vivre ce qu'elle croyait être un grand
amour... Au fur et à mesure qu'elle la découvrait,
Agnès avait fini par la prendre en réelle sympathie.
Une sympathie douloureuse. Comme les malheureux
auxquels elle faisait l'aumône, Agnès faisait à Jeanine

162

l'apport de son amitié. Par moments, la petite Jeanine lui inspirait une pitié profonde.

La jumelle d'Elisabeth se refusait à ne la considérer que comme une paresseuse ; Jeanine, comme Agnès elle-même, avait été vaincue par la sensualité. Pouvait-on le lui reprocher ? Personne et surtout pas Agnès. Etait-ce donc une tare d'être sensuelle ? N'était-ce pas dans la nature de la vraie femme ? Le drame de la fille brune avait été le même que celui d'Agnès : être tombée sur un homme tel que M. Bob.

Jeanine avait pour elle une deuxième excuse : sa solitude complète dans l'existence. L'Assistance Publique n'était pas une famille, mais une marâtre. Agnès sentait sa jeune amie beaucoup moins fautive qu'elle, qui avait toujours eu la chance de connaître la sollicitude et l'amour d'Elisabeth.

Dans ce souci de se pencher sur la détresse de Jeanine, Agnès ne pensait même plus à son propre cas : cela indiquait que, dans le fond de son cœur, elle n'était pas plus égoïste que sa jumelle. Elisabeth s'occupait des vieillards. Agnès avait pris sous sa protection l'ancienne arpète. Et la confiance entre elles était devenue réciproque.

Au commencement de leur amitié Agnès n'avait pas hésité à tendre pièges sur pièges à Jeanine, sans que celle-ci pût s'en douter, pour bien s'assurer qu'elle ne la trahissait pas auprès de « son Fred » adoré. Si la fille avait commis la moindre indiscrétion, ou fait la plus petite confidence à Fred, alias Bob, sur sa nouvelle amie, Agnès l'aurait su le soir même par l'homme qui continuait à habiter rue de la

Faisanderie comme s'il n'y avait toujours qu'une seule femme dans sa vie.

Agnès était informée d'un des dessous de la vie de son amant, jour après jour, par les bavardages de la petite Jeanine, alors que M. Bob était persuadé que celle qu'il continuait à appeler avec une gentillesse faussement amoureuse « ma petite femme » ignorait absolument qu'il eût remplacé Suzanne.

Agnès avait compris depuis longtemps que le rendement financier d'une seule femme — quelle qu'elle fût et quels que fussent ses gains — ne suffisait pas à un « Monsieur Bob ». Cette double ou multiple exigence était aussi chez lui une preuve de prudence. Il prévoyait le pire : au cas où l'une des filles lui ferait brusquement défaut, soit par besoin subit de liberté, soit par maladie, soit même par décès, il en aurait encore une « en main » pour lui permettre d'assurer « la soudure », jusqu'à ce qu'il ait eu le temps d'aller se réapprovisionner rue de Ponthieu...

Et un jour, ce qui devait fatalement arriver et qu'Agnès avait prévu depuis longtemps, se produisit... Après les premiers mois d'euphorie passés dans « le meublé », la petite Jeanine avait commencé à se rendre compte — comme cela s'était passé pour Suzanne avant elle — que « l'homme de sa vie » la délaissait. Tous les prétextes étaient bons pour espacer progressivement les assiduités amoureuses. La pauvre fille voyait de moins en moins son Fred et, quand il venait avenue Carnot, ce n'était que pour encaisser les recettes et s'en aller le plus vite possible.

164

Un soir où il s'apprêtait à repartir après n'être resté que juste le temps nécessaire pour empocher l'argent, la fille se plaça résolument devant la porte :

— Ça ne va pas, dit-elle. Et ce n'est pas juste, Fred ! Je veux bien continuer à t'aider, mais à condition que tu restes mon amant...

— Vraiment ? Tu oublies que je suis marié et que tout homme marié doit se consacrer d'abord à son épouse légitime. La petite amie ne vient qu'ensuite !

— La petite amie ?

L'affront avait été trop grand : la fille fut secouée soudain par un sentiment de rage et de révolte. Se faire traiter négligemment de « petite amie » quand elle faisait tout, absolument tout, pour satisfaire son homme !

Cramoisie, ne se contrôlant plus, elle leva la main sur lui, comme pour le frapper. « Monsieur Bob » dut faire appel à toute l'expérience de sa solide quarantaine et à sa connaissance approfondie du comportement d'une fille en furie pour maîtriser l'adversaire. Ce fut fait rapidement, à coups de pied dans le ventre. La fille s'écroula, la respiration coupée, râlant presque... Le protecteur choisit ce moment « psychologique » pour se pencher sur elle, en disant d'une voix qui n'admettait pas de réplique :

— Tu as bien compris maintenant ? J'espère n'avoir pas à remettre ça, parce que la prochaine fois, tu ne t'en tirerais pas à si bon compte ! Ça se permet non seulement d'avoir ses petites idées mais aussi de frapper son Fred ! Pour t'apprendre à me respecter, je te mets à l'amende : cinquante mille par jour pendant cinq jours. Si tu ne te sens pas bien, va te mettre sous la douche !

« L'homme de rêve » était déjà parti.

Dans une demi-inconscience, la fille avait cependant tout entendu. Elle mit du temps avant de pouvoir se lever et se traîner vers la salle de bains. Elle fut longue aussi avant de réaliser qu'elle avait été battue par celui qui avait toujours été pour elle un dieu. Comment aurait-elle pu comprendre que le souteneur ne confondait jamais « la classe » de ses protégées ? Avec une Agnès, on ne pouvait obtenir de bons résultats que par la persuasion ou les caresses ; avec une Jeanine, au contraire, après les quelques épanchements du début nécessaires pour assurer la conquête, il ne fallait pas hésiter à cogner. N'appartenait-elle pas au bétail courant ?

Pour une fois, la psychologie subtile de M. Bob était en défaut : il n'avait pas compris que l'ancienne arpète était prête à tout, sauf à recevoir des coups. Contrairement à beaucoup de filles qui se montrent pleines de docilité soumise et de respect pour l'homme qui les bat, Jeanine se révoltait contre ce procédé.

Dès lors, M. Bob eut une ennemie farouche en la fille brune. Instinctivement — et sans lui en avouer d'abord la véritable raison — Jeanine se rapprocha encore davantage de cette « Cora » qu'elle voyait tous les jours rue Marbeuf et qui prenait sur elle de plus en plus d'ascendant.

Bien qu'elle eût compris qu'il y avait une chute

très nette dans l'amour que la fille portait à « son ami », Agnès fut assez habile pour ne pas poser de questions. Ce fut Jeanine qui avoua tout d'elle-même, un jour où elle était excédée. Elle était arrivée au bar quelques minutes avant sa confidente. Dès qu'elle la vit, elle l'accueillit par une étrange question :

— Dis, Cora, tu aimes « notre » métier ?

— Il faut croire que oui, sinon j'en aurais choisi un autre ! répondit Agnès assez surprise.

— Je ne te crois pas ! Ce n'est pas possible qu'une fille comme toi soit contente de se prostituer... A moins que tu n'aies vraiment ton André dans la peau ?

Agnès resta silencieuse.

— Tu ne dis rien ? C'est donc que tu ne l'as plus dans la peau ! C'est comme moi avec le mien... On a beau se faire des illusions, ça ne dure jamais, ces histoires-là ! Moi, ça allait tant qu'il était tendre avec moi, mais maintenant que je ne suis plus bonne qu'à ramener le fric et à recevoir des coups, alors, ça ne marche plus !

— Vous avez eu une dispute ? demanda Agnès. Ça s'arrangera...

— Ça ne peut pas s'arranger ! Fred n'est qu'une brute. Et ton André, comment est-il ?

— Pareil !

— Il te flanque aussi des coups ?

— Je ne le supporterais pas, mais il est pire : il simule les amoureux alors qu'au fond il me déteste !

— Nous n'avons pas de chance... Dire qu'il y a des filles qui vivent avec de chics types !

— Tu crois ?

A partir de ce moment, l'amitié des « victimes » se resserra pour se transformer en une véritable alliance secrète devant le danger commun que représentaient leurs protecteurs respectifs : « Fred » et « André ». Agnès, désormais, connaissait une alliée. Plus le temps passa et plus elle se rendit compte que sa jeune amie était, non seulement franche à son égard, mais farouchement décidée, dès qu'elle le pourrait, à se débarrasser d'une tutelle devenue odieuse... Vingt fois Agnès avait eu envie de lui révéler que « leurs protecteurs » ne faisaient qu'un seul et même individu, mais elle avait toujours su se taire, estimant que c'était inutile et dangereux. Il serait toujours temps, le jour où l'heure du règlement de compte aurait sonné, d'ouvrir tout à fait les yeux de Jeanine.

Mais en attendant cette confidence, elle ne se tint pas d'en faire une autre à sa jeune amie :

— Demain, je ne pourrai pas être ici à notre petit rendez-vous de deux heures...

— Oh ! Nous ne nous verrons pas ? demanda la fille déjà attristée.

— Si, mais plus tard... Veux-tu vers huit heures, quand tu auras terminé ton travail ?

— Où vas-tu donc ?

— C'est un secret, mais je veux le dire à toi seule. Je viens de rencontrer un homme merveilleux...

— Ça existe donc ?

— Lui existe...

— Ah ! Alors je suis contente pour toi... Comment est-il ?

— Il est beau, puisque je l'aime.

— Non ? Où l'as-tu rencontré ?

— Le hasard...

— Et... tu as l'impression que c'est du solide ?

— Du roc !

— Vrai ?

— Je déjeune demain avec lui... Notre premier repas en tête à tête...

— Il faudra faire un vœu !

— C'est déjà fait !

— Evidemment, ton André ne sait rien ?

— Evidemment ! Et puis, il n'est plus « mon » André... Pas plus que le tien n'est « ton » Fred ! L'homme de ma vie, c'est celui que j'aime... et qui m'aime !

— Quel est son prénom ?

— Laisse-moi encore le garder pour moi... Je te le dirai plus tard.

— Français ?

— Non, étranger : Américain.

— Quoi ? Je ne voudrais pas te faire de la peine mais méfie-toi ! Avec les étrangers, on ne sait jamais très bien où l'on va...

— J'ai confiance.

— Il a un métier ?

— Il est dans l'armée.

— Militaire ? Sois encore plus prudente ! Surtout si tu l'aimes ! Avec les soldats américains il faut se méfier encore plus qu'avec les autres : ils se croient partout en occupation ! Ils vous promettent des dollars et ne vous laissent que la peau ! J'en sais quelque chose : avant de rencontrer Fred, j'ai eu des histoires avec l'un d'eux Il disait qu'il voulait m'épouser... Ils disent tous ça ! J'étais novice, je l'ai cru... Quelle chute ! Je me suis fiancée... Quinze jours après que j'eus fait le grand saut, il a disparu. J'ai appris qu'il avait déjà trois fiancées : il avait fait le même coup à d'autres. Par-dessus le marché, il était marié dans le Texas et il avait trois gosses ! Tu te rends compte ? Quel salaud !

— Le mien n'est pas ainsi...

— Je veux bien te croire. Alors, bonne chance !

Agnès avait eu, en effet, beaucoup de chance : elle en était sûre.

Mais pourquoi avait-elle éprouvé le besoin de faire une telle confidence à la petite Jeanine ? Tout simplement parce que Jeanine était là. Comme toutes celles qui sont éblouies par la découverte de ce qu'elles n'osent plus espérer, elle avait ressenti l'impérieux besoin de confier sa joie soudaine à quelqu'un... La première personne à qui elle avait tout de suite pensé était Elisabeth. Mais c'était encore trop tôt : elle voulait être certaine de ses sentiments et de ceux de l'homme. Quand elle n'aurait plus aucun doute, elle irait faire à la petite Sœur cette confidence-là au lieu de l'autre. « Voilà donc, dirait-elle, ce que tu me cachais. Il n'y a rien là de honteux, bien au contraire. » Et l'heureuse nouvelle serait pour Elisabeth le commencement de sa guérison.

L'événement s'était produit d'une façon banale : un après-midi où l'*Aronde* roulait doucement, à la recherche du client, sa conductrice avait eu le regard attiré par un groupe de gens qui faisaient cercle à l'angle des Champs-Elysées, et de la rue de Berry. Elle ralentit et s'arrêta pour contempler un spectacle qu'elle avait pourtant vu bien des fois dans la capitale mais qui, ce jour-là, lui parut plus émouvant que d'habitude : au centre du cercle de curieux, de sceptiques, de blasés et même de rieurs, une salutiste un peu ridicule chantait un hymne pieux, accompagnée par une pauvre fanfare de quelques hommes qui portaient, eux aussi, l'uniforme de l'Armée de la Charité. Placé devant la femme, il y avait un pliant sur lequel se trouvait un plateau où des passants, moins moqueurs que les autres, déposaient une obole.

Agnès n'avait jamais rien fait pour l'Armée du Salut parce qu'un vieux fond de sectarisme catholique lui avait enseigné, dans sa jeunesse, que cette œuvre était d'inspiration protestante. Brusquement, elle s'en voulut d'avoir agi aussi sottement. Pourquoi ne pas aider l'Armée du Salut ? La vraie charité ne souffre pas les cloisonnements dans l'amour du prochain. Elisabeth, elle, l'avait toujours compris. Agnès descendit de voiture et s'approcha de la femme en capote bleue qui parlait. Ce n'était point une intellectuelle, et son discours, un peu appris, exprimait une foi naïve. Elle contait sa propre expérience spirituelle, comment l'appel divin l'avait touchée et comment chaque humain doit être attentif à pareil appel que Dieu ne manque jamais de lui adresser par un moyen ou par un autre. Agnès, qui avait écouté avec attention, se baissa pour déposer un billet dans le plateau avant de s'enfuir du cercle. De plus en plus, elle aimait prélever ainsi la dîme de la charité sur ses gains abjects. Au moment de franchir le cercle des curieux pour rejoindre la voiture arrêtée au bord du trottoir, elle se heurta à l'un des assistants. Elle balbutia :

— Pardon...

Son regard rencontra celui du personnage. Et elle resta figée, la bouche entrouverte, tremblante, incapable de continuer à avancer, fascinée... Ce n'était pas possible ? Ce géant en uniforme beige, dont la casquette à visière dorée était ornée d'un écusson portant une ancre, ce géant, aux yeux bleus, aux cheveux blonds et au teint clair, lui apparaissait, soudain, comme un archange. Dans tous ses pauvres rêves, dans toutes ses attentes, elle n'avait jamais pensé que le sauveur pût être un homme, et ses vaines aspirations n'avaient d'autre visage que celui d'Elisabeth. Et voilà que, par une révélation fulgurante, elle sentait que le sauveur serait cet être-là, miraculeusement surgi devant elle, cet être si beau, si pur !

A peine distingua-t-elle le salut militaire que l'homme lui fit en s'écartant pour lui livrer passage. A peine saisit-elle les mots qu'il dit en français teinté d'accent anglo-saxon, dont elle sentit pourtant le charme musical :

— Je vous en prie, Mademoiselle...

Elle n'avait plus eu la force d'avancer jusqu'à sa voiture. Elle s'était sentie rougir, non pas de honte, mais d'une rougeur de jeune fille. Elle se souvint, dans l'instant, d'une promenade qu'elle avait faite un certain jour avec sa jumelle dans leur lointaine ville de province alors qu'elles avaient à peine quinze ans et à une époque où elles s'habillaient de la même façon ; un grand garçon s'était exclamé sur leur passage : « Entre les deux, mon cœur balance ! » Elisabeth avait ri franchement, mais Agnès avait rougi... Depuis, elle n'avait plus jamais ressenti cette bouffée de chaleur qui vous monte au visage et dont on ne sait si elle est gênante ou délicieuse. Agnès, quand Suzanne lui avait présenté le pseudo Georges Vernier dans le bar de la rue de Ponthieu, n'avait certes pas rougi mais pâli...

Voyant son trouble — c'était presque un malaise — l'inconnu la suivit du regard puis, la voyant trébucher presque, s'avança comme pour l'aider.

— Vous n'allez pas très bien, Mademoiselle. Voulez-vous vous appuyer sur mon bras ?

— Merci, balbutia-t-elle en mettant sa main sur la manche à boutons dorés. Je suis émue... par cette scène. Mais cela va déjà mieux... Merci, Monsieur...

— Commodore James Hartwel, dit-il.

Ils étaient arrivés devant la voiture d'Agnès. Il en ouvrit la portière. Elle hésitait à monter, à se séparer de lui. Ah ! comme elle était loin de ces coquetteries éprouvées par lesquelles elle accrochait le client !...

— Et vous, Mademoiselle, ai-je le droit de connaître votre nom en échange du mien ?

— Agnès...

Son vrai prénom était venu spontanément sur ses lèvres : elle avait tout à fait oublié Irma.

— C'est très joli, Agnès... C'est doux.

— Vous trouvez ?

— J'aime... J'aime aussi votre geste de tout à l'heure...

Il désignait les salutistes. Il poursuivit :

— Il n'y a pas tellement de gens, dans la vie actuelle qui est si précipitée, à prendre ainsi le temps d'arrêter leur voiture ! Me permettez-vous, maintenant que nous connaissons nos prénoms réciproques, d'exprimer l'espoir de vous retrouver ?

— Où cela ?

Une pareille demande, une pareille situation, qui s'étaient si souvent produites dans sa vie galante, la laissaient muette et ne sachant que répondre.

Mais dans le désarroi de ses pensées, ce qu'elle comprit tout de suite — peut-être parce qu'une petite Sœur priait pour elle à cette même minute sur son lit d'infirmerie — c'était que le seul moyen pour elle de se libérer totalement de l'amour maudit, serait de vivre un nouvel amour, un amour véritable qui purifierait tout...

LE PALADIN

L'état de Sœur Elisabeth s'était subitement amélioré. Elle se levait, mais on ne lui permettait pas encore de quitter l'infirmerie. Plus forte, elle commençait un peu à ronger son frein, à penser aux devoirs que sa maladie lui faisait négliger ; aux Sœurs qui venaient parfois lui faire de courtes visites — car elles avaient beaucoup de travail et, par surcroît, il leur fallait encore remplacer la défaillante ; à ses vieillards surtout, dont on lui transmettait les vœux de rétablissement.

Du matin au soir, elle revivait, dans son inactivité — qui n'était point totale, car elle avait réclamé quelques travaux de lingerie — les heures laborieuses de sa vie habituelle.

Ses journées, d'ordinaire, étaient bien remplies : après un réveil très matinal et une messe de communion uniquement réservée aux Sœurs, elle devait — comme toutes ses compagnes — être prête à consacrer douze heures consécutives au service des vieillards. Dans la grande Maison, chacune des Sœurs avait des attributions définies. Elisabeth s'occupait tout spécialement des malades « permanents » de l'infirmerie et des « terribles » qui, eux, portaient avec une certaine allégresse le poids de leurs années. Que devenaient-ils, maintenant qu'elle était loin d'eux ?

« Permanents » et « terribles » d'Elisabeth étaient tous des hommes. Depuis son arrivée avenue du Maine, la petite Sœur n'avait pas eu à donner ses soins aux femmes et, sans le dire trop haut, elle n'en était pas fâchée.

— J'aime mieux, avait-elle confié à Agnès, m'occuper de cent vieux que de dix vieilles !

Il n'y avait pas une des petites Sœurs qui ne pensât la même chose, mais la charité leur interdisait de laisser paraître leurs préférences. Pour les vieux, Sœur Elisabeth était vraiment la dernière robe qui passait dans leur vie : cette coiffe blanche, cette robe noire — dont la ceinture de cuir rappelait celle des Frères de Saint-Jean de Dieu et dont l'ample cape évoquait les Veuves de Cancale — tout cela, pour ces hommes contraints de vivre ensemble, constituait pourtant l'inestimable présence féminine, à la fois maternelle par la protection qu'elle leur apportait, et filiale par son jeune âge.

La règle des Maisons de la Communauté était formelle : les vieux devaient vivre entre eux et les vieilles entre elles. On n'y faisait exception — rarement — que lorsqu'un vieux ménage était admis : si l'on ne pouvait lui donner une chambre privée par manque de place, le mari et la femme avaient le droit de se retrouver à certaines heures de la journée dans les salles de récréation, à la bibliothèque et, le plus souvent, dans le jardin. De sa fenêtre de l'infirmerie, Elisabeth observait parfois, avec émotion, de ces vieux époux assis sur un banc, côte à côte.

Toutes les Maisons des petites Sœurs étaient construites sur le même modèle : le bâtiment des femmes d'un côté, celui des hommes de l'autre... La séparation était faite par de grandes cours, le jardin et la chapelle, le seul lieu où tous pouvaient se retrouver pour prier. Mais, là encore, la séparation persistait : les bancs de gauche étaient réservés aux femmes et ceux de droite aux hommes — séparation indispensable pour maintenir la bonne harmonie entre des centaines de vieillards des deux sexes qui n'ont pas toujours un excellent caractère. L'âge aigrit...

C'étaient surtout les vieilles qui se montraient difficiles. Presque toutes se détestaient entre elles, jamais satisfaites des soins continus et des bontés dont elles étaient cependant entourées. Leurs dortoirs, leurs réfectoires, leurs salles de récréation, leurs préaux étaient un terrain rêvé où s'épanouissaient les cancans, les médisances, les jalousies et les mesquineries. A chaque fois que c'était nécessaire, le sourire et, parfois, « la grosse voix » d'une petite Sœur ramenait une paix qui n'était qu'un armistice.

De toutes les Sœurs, c'était Sœur Kate, l'Irlandaise, qui avait le plus d'autorité sur les vieilles qui la craignaient : personne, dans la Communauté, ne savait faire aussi bien qu'elle « la grosse voix » :

— Si vous continuez, Mélanie, je demanderai à notre Mère Supérieure que vous soyez privée de dessert ce soir !

Parfois aussi, les vieilles étaient franchement méchantes avec celles qui avaient volontairement accepté d'être leurs servantes. Si Jeanne Jugan, la fondatrice de l'Ordre, avait eu l'idée d'instaurer des décorations pour récompenser les mérites des très modestes petites Sœurs, celles dont l'existence était consacrée aux vieilles méritaient, toutes sans exception, de recevoir les insignes de Grand-Croix de la Patience...

Les vieux, eux, se montraient nettement plus dociles. En pensant à eux, Elisabeth se répétait : « Ce ne sont que des enfants qui ont vieilli trop vite ! »

Sept heures du matin. La messe entendue, voilà, se disait Elisabeth, l'heure de la visite — c'était sous cette souriante appellation que l'on désignait, dans la Communauté, les soins les plus humbles et parfois les plus répugnants — à l'infirmerie où beaucoup de vieillards ne pouvaient plus quitter leurs lits. Certains même, complètement paralysés, s'y trouvaient cloués depuis des années. Ce qui n'empêchait pas qu'ils fussent dans des draps frais, changés quotidiennement.

Pour ces malheureux, Elisabeth savait se montrer apte à tout : elle les lavait, les faisait manger à la cuiller comme s'ils n'étaient vraiment plus que de tout petits enfants, essayait de leur faire balbutier quelques prières, leur racontait des histoires ou leur lisait les journaux pour tenter de les distraire, écoutait leurs plaintes et toutes leurs jérémiades... Il fallait qu'aucun de ces malheureux ne se sentît abandonné... N'était-ce pas, après avoir vu une émule d'Elisabeth dans une infirmerie de ce genre à Dinan que Charles Dickens avait écrit en 1846 : *Il y a dans cette femme quelque chose de si calme, de si saint, qu'en la voyant je me sentis en présence d'un être supérieur ; et ses paroles allaient tellement à mon cœur, que mes yeux, je ne sais pourquoi, se remplirent de larmes...*

Parmi les « permanents » de l'infirmerie, il y en avait quelques-uns qui avaient perdu complètement la raison ou qui ne pouvaient plus parler. Avec eux, Elisabeth savait se montrer encore plus douce. Ses yeux clairs — les mêmes que ceux d'Agnès — se fixaient avec amour sur la détresse silencieuse, guettant la faible lueur qui indiquerait que le malheureux se résignait à supporter son sort, à condition que le visage d'une petite Sœur vînt se pencher sur le sien.

Une fois terminés ces longs et pénibles soins, Elisabeth trouvait un réconfort en allant s'occuper d'une catégorie de vieillards qu'elle appelait ses « terribles ». Pourquoi terribles ? Parce que ces pensionnaires constituaient un noyau agissant, dynamique, bougon et quelque peu frondeur dans la grande Maison. Au demeurant, les « terribles » avaient les meilleurs cœurs du monde, toujours prêts à rendre service et, spécialement, à cette Elisabeth qui était, pour eux, une petite fée.

Les professions les plus variées étaient représentées parmi les terribles... Celui que l'on appelait *le Cavalier*, se nommait Hippolyte Ducos : c'était un ancien maître bottier de l'Ecole de Cavalerie de Saumur dont il avait conservé la nostalgie. Pour Hippolyte, il n'y avait plus de cavalerie française depuis qu'elle avait été motorisée et il ne cessait de répéter : « Comment voulez-vous que l'on éprouve une joie à faire des bottes pour des gens qui ne savent même plus ce qu'est un cheval ? » *Le Cavalier* était un désespéré de sa profession presque disparue. Elisabeth avait su cependant utiliser ses compétences en faisant de lui le réparateur indispensable des innombrables souliers usagés des pensionnaires. Il arrivait même qu'elle lui donnât des « travaux d'art » : ceux-ci consistaient à faire des chaussures spéciales pour les pieds déformés et malades. Le vieil Hippolyte se montrait alors flatté, ayant l'impression de ne plus être un inutile. Sa récompense pour les travaux d'art était des paquets de « gris » pour la pipe qu'il avait perpétuellement à la bouche.

Une autre personnalité des « terribles » était *le Financier*, qui ne détestait pas qu'on l'appelât « Monsieur Raymond »... M. Raymond avait été un authentique banquier : malheureusement sa banque avait fait faillite. Et l'homme avait commencé à se traîner misérablement, oublié de tous, abandonné par les siens, jusqu'au jour où les petites Sœurs l'avaient recueilli. Selon son grand principe d'utilisation des

182

compétences, Elisabeth l'avait chargé de tenir la comptabilité de ce qu'elle appelait « les dépenses somptuaires ». Celles-ci, qui étaient des plus modestes, se limitaient à l'amélioration de l'ordinaire : des desserts supplémentaires, quelques abonnements de lecture, l'achat de petits jeux de société et de cartes à jouer pour occuper les longues soirées d'hiver. « Monsieur Raymond » s'acquittait de ses fonctions avec une scrupuleuse honnêteté et une conscience digne de tous éloges : son livre de recettes et de dépenses était merveilleusement tenu. Nanti de ce poste presque officiel, il jouissait dans la Maison d'une considération spéciale.

Arsène, lui, était un ancien orfèvre d'art, surnommé *le Bijoutier*. Son utilité dans la Maison était certaine : il réparait les bagues sans valeur qui constituaient tous les trésors des vieilles ; il auscultait des montres aussi âgées que leurs propriétaires... Il avait même — c'était son chef-d'œuvre — ciselé un reliquaire pour la chapelle.

Il y avait enfin *le Chanteur*, dont le véritable nom devait être assez anodin, mais dont le pseudonyme artistique avait grande allure : « Melchior de Saint-Paumier. » Malgré ses soixante-dix-sept ans, il portait encore beau et avait une façon bien à lui de rejeter en arrière sa chevelure blanche restée opulente, en redressant la tête, comme s'il était encore en train de dominer du haut d'un tréteau les foules extasiées... Melchior de Saint-Paumier avait été chanteur de café-concert à une époque où ce genre fleurissait. A l'entendre, il avait tout chanté, tout créé dans des établissements disparus depuis longtemps ou transformés en cinémas. « Lorsque j'étais à l'Eden d'Asnières... Je me souviens de l'Alcazar de Saint-Flour... J'y ai fait un de ces triomphes avec mon grand succès d'alors : *Quand refleuriront les lilas blancs !* » Pour lui, les Mayol, les Dranem, les Maurice Chevalier n'étaient que des apprentis... Quant aux chanteurs modernes, il ne voulait même pas les connaître : « Il n'y a plus de vrais artistes ! » répétait-il. Elisabeth avait su trouver la corde sensible du cœur de ce cabotin en lui confiant la direction de « la Chorale », qui avait le droit de se faire entendre les jours de grandes fêtes... Un ensemble « artistique » étonnant, fait de voix chevrotantes et cassées, mais dont l'âme collective vibrait de bonne volonté. Celui qui n'avait pas vu l'imposant Melchior de Saint-Paumier, aux répétitions dans un réfectoire, s'époumoner et battre la mesure d'un geste large, ignorait les beautés cachées du bel canto.

Il y avait donc un peu de tout parmi les « terribles ». Ne répondaient-ils pas, eux aussi, au but principal de la Congrégation qui, dès 1839, n'avait été fondée que pour la sanctification de ses membres ? Elisabeth, comme ses sœurs en religion, ne perdait jamais de vue que la première mission de l'Œuvre était l'hospitalité exercée envers les vieillards âgés de plus de soixante ans et pauvres, sans faire la moindre discrimination entre les religions ou les nations. C'était la vraie charité.

Mais Elisabeth ne pensait pas qu'à se sanctifier par la pratique des vertus et des vœux de religion, elle travaillait aussi — sans trop ennuyer ses vieux amis — à donner les âmes à Dieu et Dieu aux âmes... Sa vocation, inspirée par l'amour de Dieu et des pauvres, consacrée par le vœu d'hospitalité, n'était-elle pas rendue infiniment plus douce par la parole de Notre-Seigneur ? *Tout ce que vous faites au moindre de ces petits, c'est à Moi que vous l'avez fait...* C'était Jésus, son époux, qu'Elisabeth trouvait en accomplissant simplement ses devoirs obscurs et en essayant d'apporter un peu de joie, beaucoup de joie même, à ses « terribles ». Souvent, il lui arrivait de se redire à elle-même, dans le secret de son cœur, l'un des conseils de la fondatrice de l'Ordre : *Il ne faut nous considérer que comme les petits instruments de l'œuvre du Bon Dieu...*

Et parce qu'il y avait ainsi, dans les cinq parties du monde, trois cent vingt Maisons depuis la fondation de l'Œuvre, 800 000 vieillards — après avoir été hébergés et choyés comme l'étaient ceux de l'avenue du Maine — s'étaient endormis dans la paix du Seigneur, assistés par l'amour inépuisable de leurs petites servantes...

Agnès fut à la fois surprise et heureuse d'entendre la Sœur portière lui dire :

— Vous allez être contente : notre chère Sœur Elisabeth a quitté enfin son lit d'infirmerie ! Elle n'est pas encore très solide, mais il y a un mieux sensible : comme avant, elle va venir vous voir au parloir.

Un moment après, la petite Sœur rejoignait Agnès : une Elisabeth au visage encore pâle mais plus animé. Agnès se précipita pour l'embrasser :

— Chérie ! Je suis tellement heureuse de te voir debout !

Elles se regardèrent longtemps, les mains dans les mains, chacune d'elles cherchant à comprendre l'état véritable de l'autre. Agnès se demandait si ce mieux sensible était bien la guérison de sa sœur ; Elisabeth, si le lourd secret qui pesait sur l'âme de sa jumelle s'était allégé, si elle en serait bientôt délivrée.

L'attitude d'Agnès était certes rassurante ; pourtant, si son visage était maintenant empreint de bonheur et d'espoir, un trouble s'y lisait encore. Un peu de nervosité passait dans ses actes et dans son sourire ; on sentait encore en elle de la contrainte et de l'appréhension.

— Voyons, lui dit Elisabeth sur le ton de protection maternelle qu'elle prenait parfois pour parler à certains de ses vieillards, voyons où nous en sommes... Cela va mieux pour toi aussi ?

— Beaucoup mieux et presque miraculeusement bien.

— Presque ? dit la petite Sœur. Que manque-t-il donc encore pour que tu sois vraiment rassérénée ?

— Le miracle est en train, répondit Agnès. Il faut que le Ciel l'achève...

— Il l'achèvera ! Dieu est bon. Mais peux-tu me confier maintenant où tu en es et quel est ce secret qui t'a torturée ?

Agnès rougit comme elle l'avait fait devant James.

Elle baissa la tête avec autant de confusion que de bonheur.

— J'aime, dit-elle.

— Tu aimes ? C'est cela qui t'a tant tourmentée ? C'est donc cela, l'amour humain ? Un tourment ? Je connais un amour que rien ne saurait troubler, qui n'est que béatitude. Tu vois que c'est moi qui ai la meilleure part ! Et pourquoi en as-tu souffert ? L'homme que tu aimes ne t'aimait-il pas ?

— Qu'importe le passé, qu'importe tout le reste ! répondit Agnès en blottissant sa tête sur l'épaule de sa sœur. Maintenant je sais que je suis vraiment aimée.

— Alors, tout va donc pour le mieux ? Et qui est cet homme ?

— Un officier de marine américain...

— Officier de marine et Américain ? Raconte vite !

Agnès parla longtemps, à mi-voix, les yeux mi-clos, sans même prêter attention à la statue de saint Joseph. Le bon saint savait cependant beaucoup de choses ignorées par Elisabeth ; s'il était satisfait d'entendre d'autres paroles que des appels au secours, et de ne pas risquer, pour une fois, d'être mis en pénitence, il savait aussi que son rôle d'intercesseur n'était point encore terminé.

Quand Agnès se tut, la petite Sœur, pas entièrement rassurée, demanda :

— Et tu es sûre de cet amour mutuel ?

— Oh ! oui, dit Agnès avec conviction. Il veut m'épouser... et très vite.

— Pourquoi si précipitamment ?

— Comprends-le : il doit repartir dans un mois pour San Francisco où il veut m'emmener.

Elisabeth restait pensive. Agnès reprit :

— Je lui ai souvent parlé de toi, tu sais ! Il connaît les Petites Sœurs des Pauvres...

— Il est sans doute protestant ?

— Non : catholique, de Boston...

— Nous avons, en effet, une Maison là-bas. L'a-t-il visitée ?

— Tu le lui demanderas. Puis-je revenir demain, à deux heures, pour te le présenter ?

— Je suis encore assez faible, dit Elisabeth avec quelque hésitation.

— Tu verras : James sera pour toi le meilleur des médecins !

— Pour moi seule ?

— Pour nous deux, reconnut Agnès. Tu vois bien : je ne suis plus la même. Enfin, je vis !

— Mais pourquoi et comment as-tu été si torturée ?

— Je te dirai cela plus tard, répondit Agnès. Pour l'instant, ne pensons à rien que d'heureux !

— Alors, amène vite cet homme-miracle ! Seulement je vais être très intimidée... Il sera en tenue ?

— Naturellement... Tu sais qu'il t'aime déjà ?

— Et moi, je souhaite aimer son âme !

— A demain, chérie...

Agnès s'enfuit, mais non plus cette fois pour cacher sa honte ou ses larmes : elle retournait vite s'attacher à une tâche qu'elle n'avait fait qu'entreprendre et pour laquelle elle savait qu'elle aurait encore beaucoup à lutter ! la conquête de son bonheur !

Mais soutenue par l'amour de James et la tendresse d'Elisabeth, de quelle entreprise et de quels efforts ne se sentait-elle pas capable ?

Le soir même de cette visite avenue du Maine, Agnès rentra tard. Elle ne se résolvait pas volontiers à regagner l'appartement de la rue de la Faisanderie où l'attendait l'homme qui lui était devenu odieux.

— Ça a marché les affaires ? demanda Bob.

— Très bien, dit Agnès froidement.

— Combien ?

— Dix mille...

— C'est ça que tu appelles « très bien » ? Tu te moques de moi ?

— Pas de reproches, veux-tu ? Je suis fatiguée ce soir, laisse-moi me coucher et dormir.

— Bien que ce ne soit pas très brillant, mon petit, donne-moi quand même les dix billets...

Elle les lui tendit, d'un geste dont elle avait pris l'habitude. Il les empocha avec le même automatisme, en disant :

— Espérons que ça ira mieux demain...

Il n'insista pas et se dirigea vers la salle de bains après avoir éteint la lumière. Il revint, se coucha, s'endormit bientôt. Sa présence devenait intolérable pour Agnès qui ne dormait pas, qui ne dormirait pas de la nuit tellement ses pensées étaient tendues vers le but à atteindre — son mariage avec James et la manière d'y parvenir en trompant la méfiance du souteneur. Un mois d'attente et de manœuvres ! Que ce mois serait long à vivre !

Elle se mit à examiner, en pensée, le déroulement des faits depuis sa rencontre avec James...

Elle revit leur premier entretien d'amoureux, à la *Closerie des Lilas,* un endroit qu'elle avait choisi comme étant éloigné du champ d'action de Bob — comme du sien ; elle pensait à la réserve attentive de l'officier ! elle croyait réentendre ses confidences sur lui-même, sur sa famille, sur sa carrière même. Ils s'étaient quittés après deux heures d'entretien, et elle lui avait donné le numéro de téléphone de la rue de la Faisanderie. Elle se rappelait son attente anxieuse de cet appel : la matinée s'était passée sans qu'il vînt.

Comme M. Bob pouvait se trouver là lorsque James se manifesterait au bout du fil, il avait bien fallu lui dire quelque chose de son aventure et en créer une version qu'il pût admettre.

Il se plaignait aigrement que les affaires allaient mal.

— Je me demande, avait-il dit si le fait de t'être coupé les cheveux et de modérer ton maquillage ne nuit pas sérieusement à ton sex-appeal ?

— J'ai plutôt l'impression que c'est un mauvais moment à passer : l'échéance des impôts, le tiers provisionnel, tout cela éprouve la clientèle. Hier je n'ai fait qu'un client... et quel mufle ! Ça m'a tellement écœurée que j'ai été au cinéma.

— Tu as bien fait... As-tu vu au moins un bon film ?

— Une histoire de gangsters... Mais j'ai fait une sérieuse touche avec mon voisin de droite : un officier américain.

— A ta place, je me méfierais ! Laisse cette clientèle-là aux filles spécialisées dans le genre.

— Celui-là avait beaucoup de classe... C'est un commandant de marine.

— Fichtre !

— C'est un timide, il s'est montré réservé. Il m'a demandé s'il pourrait me revoir ? J'ai suivi ton conseil : je lui ai donné notre numéro de téléphone. Je te préviens, pour le cas où il appellerait. Il m'a paru tout à fait le type du client à faire ici, à domicile. Je lui ai dit que j'étais mannequin.

— Parfait !

— Seulement, s'il téléphonait, je ne pourrais pas lui fixer rendez-vous avant six ou sept heures du soir.

— Pourquoi ?

— Il faut bien qu'il me croie occupée l'après-midi par mon travail !

— C'est juste... Tu penses qu'il t'appellera aujourd'hui ?

— Je l'espère.

— Dans ce cas, je m'arrangerai pour ne rentrer qu'au petit jour. Dis-moi, la réception, ici, avec le whisky, ça va chercher dans les cinquante... Pas moins !

— Bon, avait-elle dit. Fais-moi confiance.

— Tu es une fille intelligente.

— Seulement, s'il appelait après mon départ et que tu sois encore là, ce serait peut-être ennuyeux qu'il entendît ta voix... enfin une voix d'homme ? Il comprendrait que je ne vis pas seule, comme je le lui ai dit... Que lui répondrais-tu ?

— N'importe quoi ! Que je suis ton frère, par exemple !

— Ça ne prendra pas.

— Il parle bien le français ?

— Comme toi et moi. Dis-lui plutôt que tu es le concierge et que tu nettoies l'appartement...

— Le concierge ! Pourquoi pas ton valet de chambre ? Il m'ennuie ton Américain !

« L'Américain » ne téléphonait pas. Agnès ne pouvait se décider à sortir : elle avait attendu en vain jusqu'à cinq heures de l'après-midi... La mort dans l'âme, il fallut bien qu'elle se décidât à aller « travailler ». Elle avait roulé dans l'*Aronde* sans prêter attention à personne, oubliant même la raison pour laquelle elle refaisait l'éternel périple. Elle ne voyait que le visage clair, les yeux bleus et la chevelure blonde de celui dont le prénom, James, commençait à chanter à ses oreilles.

Continuer à se prostituer, au moment où elle venait de découvrir que l'amour pouvait être autre chose que de la sensualité lui paraissait une profanation. A chaque officier américain qu'elle apercevait, elle ralentissait espérant retrouver l'unique homme de ses pensées... Malheureusement ce n'était jamais sa silhouette, jamais James !

Elle était rentrée tôt rue de la Faisanderie, sans même se préoccuper du fait qu'elle n'avait pas accroché un seul client et qu'elle ne ramenait aucune recette, caressant encore l'espoir que James téléphonerait peut-être à l'heure du dîner ? Oh ! cette nuit désespérée où elle se demandait si James n'avait pas été envoyé brusquement en mission ailleurs, dans un autre pays ? A moins qu'il n'eût déjà appris... Non, ce n'était pas possible : du moins pas si vite.

Selon sa promesse, M. Bob n'était revenu qu'au petit jour. Dans l'attitude d'Agnès, il avait compris tout de suite :

— L'Américain ne t'a pas appelée ?

Prostrée, elle n'avait pas répondu.

— Mais, ma parole, tu es amoureuse ?... Qu'est-ce qui te prend de t'enticher d'un bonhomme que tu n'as fait qu'entrevoir ? C'est son uniforme qui t'a produit un tel effet ?

Comme elle restait toujours muette, il en vint à l'essentiel :

— Bonne recette ?

— Nulle...

— Tu dis ?

— Je n'ai pas fait un client...

— Et pourquoi ?

— Parce que je n'en avais pas envie, figure-toi !

— Une révolte ?

— Peut-être...

— C'est très dangereux les révoltes, mon petit ! Et tout ça, à cause de cet Américain qui n'a pas téléphoné ! L'aimes-tu, oui ou non ?

Elle avait hésité avant de répondre :

— Je ne sais pas...

— Je préfère cette réponse ! Ne mens pas : combien de fois l'as-tu vu ?

— Je te l'ai dit : une seule...

— Et vous avez couché ?

— Non.

— Alors, c'est du sentiment ! Madame est en plein roman... Avec du vague à l'âme par-dessus le marché ! Veux-tu que je te dise une vérité ! Il t'a oubliée, ton Américain ! Il faut en faire ton deuil ! Mais si tu tiens absolument à un marin U.S.A., ce n'est pas le choix qui manque en ce moment à Paris ! Passe-toi cette fantaisie et reviens au boulot !

— Tu es ignoble.

— Je suis lucide, même à cinq heures du matin ! Maintenant je vais dormir. Tu n'as toujours pas sommeil ?

— Non.

— Mauvais pour la santé, les rêves debout... surtout les rêves d'amour !

Pour une fois, la prophétie de Bob s'était révélée fausse : quatre heures plus tard, James appelait.

— Vous, enfin ! ne put-elle s'empêcher de dire.

A l'autre bout de la ligne, l'interlocuteur parut surpris par l'exclamation et il répondit :

— Pardonnez-moi, chère Agnès, mais j'ai cru que ce ne serait pas très convenable de vous appeler dès hier. A quelle heure nous voyons-nous aujourd'hui ?

— Voulez-vous ce soir, à sept heures ?

— Ce sera parfait.

— Je vous attendrai chez moi : hier je vous ai donné mon adresse...

Cette joie acquise, elle avait connu d'autres affres. Il fallait trouver de l'argent pour garder la complaisance de Bob. Cinquante mille ! Il avait taxé d'office à ce prix la visite de l'Amécirain qui, précisément, ne devait jamais savoir le honteux métier d'Agnès.

La fièvre la reprenait : elle devait trouver les cinquante mille francs pour que Bob continuât à la laisser recevoir sa nouvelle conquête dans ce « chez elle » qui, en réalité, n'était qu'un « chez Monsieur Bob ». Il n'y avait pas une minute à perdre : elle consulta son carnet d'adresses et repéra tout de suite cinq ou six noms susceptibles de satisfaire les appétits d'argent de M. Bob. Elle prendrait rendez-vous pour le début de l'après-midi et « expédierait » le client le plus vite possible pour pouvoir rentrer tôt à la maison où elle préparerait tout pour y recevoir dignement James... Sa hâte, son besoin de le voir, l'empêchaient de sentir toute l'abjection des moyens qu'il y fallait employer.

Elle quitta l'appartement sans bruit. — Bob dormait encore — pour se rendre dans un café voisin d'où elle pourrait téléphoner au client choisi.

Lorsqu'elle rentra, aussi silencieusement qu'elle était sortie, Bob semblait dormir paisiblement.

Il ne se montra dans le living-room qu'à midi.

— Déjà debout, chérie ? As-tu pu dormir un peu ?

— Mieux que je ne l'espérais quand tu es rentré...

— Bravo ! Je t'avais dit que tu l'oublierais vite, ton Américain.

— Ah ! A propos : il m'a téléphoné...

— Non ? fit Bob, ce n'est pas possible ? A quelle heure ?

— Vers neuf heures...

— Cela prouve qu'il y a des Américains qui ont de la suite dans les idées ! A quelle heure vient-il ?

— Sept heures, ce soir.

— Il va donc falloir que je disparaisse encore comme hier ?

— Si tu veux que ce soit une réussite, ça me paraît préférable.

— Sois tranquille : je trouverai bien à m'occuper ailleurs... Après les courses, j'irai dans un nouveau cercle qui vient de s'ouvrir... L'ennui, c'est que tu ne m'as rien rapporté hier et que je n'ai pas de masse de départ solide pour attaquer une partie sérieuse !

— Je te promets que tu l'auras demain matin.

— Cinquante ?

— Cinquante...

— Evidemment, si tu arrives à ce qu'il t'allonge cette somme à chaque visite, ça vaudra la peine...

Au moment de partir, vers une heure et demie, il demanda :

— Et cet après-midi, qu'est-ce que tu vas faire ?

— J'irai chez le coiffeur...

— Hé hé ! On veut se faire belle pour le monsieur ?

Un quart d'heure après le départ de la *Chevrolet*, ce fut l'*Aronde* qui quitta le garage pour foncer au domicile du « client » qui avait accepté l'après-midi d'amour. Elle revint à six heures.

Agnès avait les cinquante billets que James serait censé lui avoir remis, mais elle était fébrile : elle n'avait d'ailleurs pas le loisir de réfléchir. Il lui restait tout juste le temps de ranger les affaires personnelles de M. Bob pour que James ne pût pas se douter qu'un homme vivait dans les lieux.

Elle s'habilla avec une coquetterie de jeune fille. Elle ne se maquilla pas : James ne lui avait-il pas confié qu'il était surpris de ce goût qu'avaient les Françaises. Elle se trouvait d'ailleurs plus jolie ainsi et plus semblable à sa jumelle. Inconsciemment, elle tendait à se rapprocher physiquement d'un admirable modèle et un jour viendrait peut-être où elle atteindrait comme Elisabeth, fût-ce dans le monde, à une existence exemplaire. Ce ne serait qu'à ce prix qu'elle mériterait de vivre le grand amour que le Ciel lui envoyait.

Quand il parut, à la fois charmant avec son large sourire et attendrissant avec le bouquet qu'il tenait gauchement dans la main, Agnès pensa qu'il n'y avait rien de plus gentiment ridicule qu'un gaillard en uniforme, embarrassé de roses...

La jeune femme se complut longtemps à cette vision qui emplissait son âme. Elle se souvenait de cette soirée comme d'un rêve si merveilleux et si éblouissant que la mémoire n'en conservait que la griserie, sans en retenir de particulier que des bribes de paroles simples mais essentielles.

— Vous m'avez dit, n'est-ce pas Agnès, que vous étiez libre ?

— Avez-vous confiance en moi, James ?

Et cette phrase enfin, prononcée d'une voix grave, tintée d'un peu de solennité et de réelle émotion :

— Agnès, accepteriez-vous de devenir ma femme ?

Un vertige, alors, avait emporté Agnès. Etait-il possible qu'une telle demande lui fût adressée par cet être si admiré ? Il n'y songeait pas sérieusement ? Ce n'était que la deuxième fois qu'ils se rencontraient. La connaissait-il ?

— Je vous connais depuis longtemps, gentille Française. Vous ne pouvez être que de la même race que votre sœur qui n'a pas hésité à se consacrer tout entière aux pauvres et que je souhaite connaître bientôt ! Si vous m'aimez, je sais que vous serez tout entière à votre époux...

Elle l'avait écouté avec ravissement : pour la première fois de sa vie, un étranger venait de lui dire qu'elle pouvait agir tout aussi bien qu'Elisabeth et que leur ressemblance devait être également morale. Et elle en eut, pour l'homme qui ne s'encombrait pas de paroles inutiles, une reconnaissance infinie qui vint s'ajouter à l'amour.

Elle avait dit alors faiblement :

— Vous êtes bien sûr, James, de ne pas regretter plus tard de m'avoir demandé de devenir votre femme ?

— Je vous aime...

Elle s'était blottie contre lui.

Le baiser qu'elle avait reçu et dont elle sentait encore la douceur ne ressembla à aucun de ceux qu'elle avait connus. Les fausses étreintes étaient effacées par l'amour d'un homme sincère.

Agnès comprenait aussi que tous les sentiments vrais : un amour franc, la volonté de la protéger et de la défendre, le souci de toujours lui plaire, se réunissaient dans le geste de celui qui, inconnu hier encore, était devenu soudain le centre de son existence.

Un siècle aurait pu s'écouler, pendant qu'ils étaient l'un près de l'autre...

Elle se souvenait encore de leur dîner tête à tête, place du Tertre, au sommet de Montmartre, un lieu fait pour les amoureux. Après ce repas intime, à une table éclairée seulement par une lampe basse, ils étaient allés jusqu'au terre-plein de la basilique pour contempler longuement le panorama de Paris illuminé. Elle avait même ramené James jusqu'à l'entrée du Cercle Militaire où il habitait à Saint-Germain.

Telle avait été leur première soirée d'amour : un amour honnête et pur dont le souvenir l'éclairait encore.

Ensuite, il avait bien fallu retomber dans le mensonge... Comment sortir de ce cercle infernal ? Elle avait dû lui dire, un peu par habitude, un peu par difficulté de trouver mieux, qu'elle travaillait « dans une maison de couture ». Elle avait été contrainte de revenir au mythe du mannequin.

— Voulez-vous que j'aille vous chercher, quand vous sortez de votre travail ? lui avait-il demandé.

Elle l'avait supplié de s'en garder « pour ne pas rendre jalouses ses camarades »...

— J'aurais pourtant aimé vous admirer au cours d'une présentation... Cela m'aurait permis de voir les robes qui vous vont le mieux et de vous les offrir pour les emporter dans notre voyage de noces à San Francisco.

— Vous pensez déjà au voyage de noces ? demanda-t-elle éblouie.

— Vous ne voudriez pas que je revienne dans mon pays sans ma femme ?

— Et ensuite ?

— Peut-être resterons-nous aux Etats-Unis ? Peut-être aussi serai-je envoyé aux Philippines ou au Japon ? Nous irons ensemble...

Elle ne pensait plus qu'au bonheur de quitter la France pour fuir à jamais son passé et M. Bob.

— Contente de ta soirée d'hier ? lui demanda le lendemain le souteneur.

Elle lui jeta une liasse de billets.

— Le compte y est, dit-elle.

— Félicitations ! Tu vois que j'avais raison...

Et il y avait eu d'autres rendez-vous, d'autres soirées passées à se regarder, à se parler, à s'aimer chastement, malgré le désir qu'ils avaient l'un de l'autre.

Il y avait eu le dîner sur le bateau-mouche : l'un des nombreux rêves qu'Agnès n'avait encore jamais réalisé ! Pour pouvoir savourer pleinement le plaisir d'une telle promenade sur la Seine et en plein cœur de Paris, il fallait vivre un amour romantique. Celui d'Agnès et de James l'était, sans aucune pensée basse.

Elle n'en était pas moins prisonnière d'un étrange dilemme : ou elle continuait à « faire des clients » dans la journée pour pouvoir rapporter à M. Bob l'argent que l'officier américain était censé lui donner à chaque fois qu'ils se voyaient, ou elle était condamnée à perdre James... Une fois de plus, Agnès était contrainte à vivre dans un double mensonge et elle arrivait à se demander avec angoisse si elle parviendrait jamais un jour à pouvoir dire la vérité, rien que la vérité ?

Plus d'une fois, quand elle sentait près d'elle cette présence si confiante, si fidèle et si sûre elle avait eu envie de tout avouer à James, dût-elle perdre son amour : elle se disait qu'on n'a pas le droit de tromper un être d'une telle rectitude. Mais, au bord de l'aveu, elle se trouvait paralysée vis-à-vis de James, comme elle l'était encore vis-à-vis de sa sœur, par la monstruosité de sa révélation. Elle persistait donc, dans cet état heureux et torturé, espérant que le miracle continuerait et qu'elle atteindrait bientôt le bout de ses épreuves.

Ah ! que James l'épousât vite, comme il l'avait dit, et l'emmenât loin de ce Paris où elle ne pouvait plus vivre. Soutenue par cette espérance, elle saurait — jusqu'au moment du départ et pour que M. Bob n'eût aucun soupçon sur la fuite qu'elle préparait — se plier à ses exigences pécuniaires : il ne s'agissat plus que de si peu de temps !

Cette situation durait depuis deux semaines lorsque Agnès, désireuse de réaliser un projet dont l'idée venait de James, demanda un vendredi soir à Bob :

— Mon Américain me propose de partir demain en week-end avec lui jusqu'à dimanche soir. Nous rentrerions dans la nuit...

— Si cela te fait plaisir... Et où iriez-vous ?

— Il pensait à Barbizon...

— Le pays des tentations... C'est charmant à cette époque-ci, Barbizon... Mais une équipée pareille, ça se paie : partant samedi, tu restes absente deux jours. Cela fait déjà cent mille. Ajoutes-y un surplus pour le mot « week-end » et pour la compréhension dont je fais preuve : ça fera un total de cent cinquante. Nous sommes d'accord ?

— Tu es bien décidé à ne jamais y perdre, à ce que je vois ?

— N'ai-je pas quelques droits ? N'es-tu pas ma femme ? Je veux bien te prêter à tes admirateurs mais encore faut-il que j'y trouve un certain dédommagement...

— Bon, dit-elle. Tu auras tes cent cinquante mille.

Il continua, cauteleux :

— J'en étais sûr... Un client pareil. Je devrais te conseiller de le garder le plus longtemps possible. Eh bien, vois-tu, ce n'est pas mon avis. Mon devoir, qui va d'ailleurs à l'encontre de nos intérêts, m'oblige à te conseiller d'en finir avec ce type.

— Pourquoi ? demanda-t-elle en pâlissant. Puisque tu y trouves ton compte.

— Je sais... Seulement, je crains que tu ne t'amouraches stupidement de lui ? Ça ne pourrait que te conduire à une impasse : tu m'appartiens ! Et une rupture, après une amourette trop prolongée, ça fait mal ! Je ne voudrais pas te voir souffrir inutilement... Sais-tu ce que tu devrais faire pour terminer élégamment cette aventure sans lui faire de peine à lui non plus ? Profite de ce week-end pour lui dire que c'est fini, que tu ne pourras plus le revoir parce que tu vas te marier...

Saisie, elle répéta :

— Me marier ?

— Mais oui... nous marier, toi et moi.

— Tu es fou ?

— C'est ainsi que tu me traites au moment où nous allons enfin réaliser le rêve de notre vie ? Oui, je te l'avoue : depuis un certain temps déjà, j'ai pris la ferme décision de t'épouser.

— Et si moi je ne voulais plus ?

— Ça y est : tu avoues... Tu l'as dans la peau, ton Américain.

Suffoquée, elle comprit qu'il fallait mentir tout de suite :

— Dans la peau ! Tu n'as que cette expression à la bouche !

— En tout cas, ma fille, je te préviens : à partir de lundi, tout rentrera dans la norme : plus d'Américain ! Tu feras ton travail habituel l'après-midi et, le soir, tu reviendras dîner ici avec moi... Compris ?

Elle se sentit de nouveau perdue. Eh bien ! Puisqu'il n'y avait plus d'espoir de salut, elle goûterait du moins le bonheur de se donner à James au cours de ce week-end. Puis elle lui dirait tout, et ce serait fini entre eux. Mais elle refusait d'envisager déjà la douloureuse issue. Elle voulait d'abord savourer pleinement deux jours de bonheur...

Le weed-end ne se passa point à Barbizon, mais près de Chantilly, dans une auberge. Là encore, c'était un acte de prudence d'Agnès. M. Bob pourrait rôder tant qu'il le voudrait du côté de Fontainebleau : il ne les trouverait pas.

Un week-end idéal, au cours duquel Agnès oublia qu'il devait se terminer tragiquement et se laissa reprendre par l'espoir, par la certitude qu'un aussi beau rêve ne pouvait pas finir en cauchemar. Les heures ne furent tissées que de tendresse, de projets, de respect mutuel aussi. James avait retenu deux chambres séparées. Il fut prévenant et attentionné, et elle s'identifia tout naturellement à son rôle de fiancée qui a conservé toutes les pudeurs. Cette retenue ne lui coûta pas, tellement tout lui semblait juste et naturel. Mais comme elle était heureuse ! Il y eut des moments, pendant ces vingt-quatre heures, où elle fut prise d'une envie folle de crier son bonheur aux arbres de la forêt, au Ciel aussi.

A un moment, elle pleura d'émotion. James s'inquiéta :

— Qu'avez-vous, darling ?

— Je voudrais déjà être votre femme !

— Vous le serez bientôt... Il y a quelques formalités à remplir. J'ai déjà obtenu de mon chef direct l'autorisation de me marier en France. Seulement il ne faudra pas vous vexer : quand l'un de nous se marie avec une étrangère, il y a toujours une petite enquête faite par nos Services...

— Une enquête ? répéta-t-elle, subitement angoissée.

— Il eut un bon rire :

— Oui... sur la moralité de la dame ! Simple formalité en ce qui vous concerne.

— Mais en quoi consiste cette enquête ?

— D'abord sur la famille de la fiancée si elle en a une.

— Je vous l'ai dit : je n'ai que ma sœur jumelle, la religieuse.

— Ce sera la plus belle des références ! Il sera nécessaire aussi que vous me donniez le plus tôt possible un certificat d'emploi délivré par la maison de couture où vous êtes mannequin ? A ce propos, j'ai complètement oublié de vous demander le nom de cette Maison ?

Elle dit assez vite, par habitude :

— Claude Vermand...

— C'est connu ?

— Ça commence à l'être... Ils ont de très jolis modèles...

— Vous devez les porter à merveille ! Je vous ai déjà dit que j'aimerais vous offrir tous ceux qui vous plaisent... Ne pourrais-je pas y aller la semaine prochaine ? Ils pourraient me donner en même temps l'attestation que je remettrai aussitôt à nos Services.

La perspective d'une nouvelle machination à échafauder ne l'effraya qu'à demi : le bonheur la rendait optimiste.

— Je vais arranger cela. Que demande-t-on encore dans l'enquête ?

— Sûrement un certificat médical, comme pour moi d'ailleurs ! Et les pièces officielles qui doivent être exigées aussi par la loi française puisque nous allons nous marier ici... Je me suis déjà renseigné : en France, c'est la mairie du lieu où habite la fiancée qui compte. Pour vous, ce doit être celle du XVIe ?

— Oui...

— Nous nous y marierons donc civilement... Je vais y faire transmettre mes papiers. Après quoi, il n'y aura plus qu'à faire publier à la mairie ce que vous appelez « les bans »... On m'a dit que l'affichage en durait dix jours au plus.

— Vous êtes étonnant, chéri : vous pensez à tout !

— C'est que je n'ai pas envie de retarder cette affaire. Si tout va bien, nous pourrions être mariés d'ici trois semaines au plus : juste pour le moment de partir aux Etats-Unis... Et la cérémonie religieuse ? Savez-vous qu'il y a une très jolie chapelle au SHAPE ? J'y ai assisté récemment, avec tous les officiers des Nations de l'Alliance Atlantique, à un mariage entre un officier allemand et une Française... C'est très beau de voir tous les uniformes des différents pays alliés faire une haie d'honneur à la sortie de la chapelle... Très émouvant aussi de penser que ce genre d'union est encore le moyen le plus vrai de faire se rapprocher et s'aimer les peuples... Ça ne vous plairait pas, un mariage pareil ?

Elle se laissait bercer par ce rêve merveilleux.

— Il me vient une idée, dit-elle. Vous savez combien j'aime ma sœur Elisabeth pour qui je reste le seul attachement humain. Nous lui ferions une grande joie si nous nous mariions très simplement dans la chapelle de la Maison de l'avenue du Maine, au milieu des vieillards pauvres ?

— Votre idée est merveilleuse ! Nous nous marierons chez les charmantes petites Sœurs... Vous croyez qu'il y a déjà eu des mariages dans les chapelles de leur Maisons ?

— Peut-être y en a-t-il eu pour régulariser sur le tard des situations de vieux couples qui s'étaient unis sans passer par l'église ; mais je ne pense pas qu'on y ait jamais marié des jeunes !

— Ce n'en sera que plus beau, darling !

Quand elle le reconduisit à Saint-Germain, il lui dit :

— Chérie, donnez-moi votre main...

Il lui mit une bague au doigt, lui baisa la main qu'il venait d'orner, et quitta la voiture pour rentrer rapidement dans la maison.

Agnès resta un long moment incapable d'appuyer sur le démarreur, contemplant, sous la lune, son doigt encore tremblant sur lequel brillait le symbole de leurs promesses : une émeraude.

Avant de pénétrer dans l'appartement de la rue de la Faisanderie, elle dut cependant retirer le bijou pour l'enfouir dans son sac. Si M. Bob l'avait vu, il se le serait immédiatement approprié pour aller le revendre et jeter sur un tapis vert le produit de cette recette inespérée...

M. Bob était là, fumant paisiblement dans son fauteuil préféré du living-room.

— Je t'attendais, dit-il. C'est bien ; tu n'es pas rentrée trop tard... Tout s'est bien passé ? L'Américain a payé ?

— Prends... Tu peux vérifier : le compte y est...

— Mais, chérie, je t'ai toujours fait confiance...

Il empocha les billets avec son flegme habituel avant d'ajouter :

— Ce devait être charmant Barbizon, par un temps pareil ?

— Très agréable, répondit-elle distraitement.

Elle repensait à la façon dont elle avait réussi à se procurer les cent cinquante mille francs... La veille du week-end, le vendredi après-midi, elle avait obtenu cinquante mille d'un client mais, sachant qu'elle n'en trouverait pas un autre qui lui assurerait la différence pendant cette fin de semaine, elle s'était rendue à deux heures au bar de la rue Marbeuf où Jeanine lui avait presque sauté au cou :

— Enfin ! Je me demandais ce que tu devenais ? J'étais à la fois inquiète et heureuse... Inquiète parce que je craignais que ton André ne t'ait fait un mauvais coup, heureuse en espérant que tu étais partie en douce avec ton Américain pour filer le parfait amour.

— C'était un peu ça...

— Ça va toujours avec l'Américain ?

— Il est de plus en plus adorable ! Malheureusement, je suis un peu ennuyée je voudrais pouvoir passer un week-end avec lui. Ça n'ira que si je rapporte à André le gros paquet... Tu comprends ?

— Et comment ! Fred aurait la même exigence ! Je t'assure : ce n'est plus une vie pour nous deux !

— Nous n'avons pourtant rien d'autre à faire, toi et moi, que de continuer à leur trouver de l'argent ! Tu ne pourrais pas me prêter cent mille ? Je te promets que je les rattraperai la semaine prochaine et que je te les rendrai dans cinq jours au plus tard. J'ai de très bons clients mais, justement parce qu'ils en ont les moyens, ils partent tous pour les fins de semaine !

— Je sais : les dimanches et jours de fêtes, je n'ai toujours fait que des purotins ! C'est bien cent que tu as dit ?

— Oui...

— Quand on les a, ce n'est pas grand-chose mais quand il faut les trouver, c'est une autre histoire ! Moi je n'y arriverais pas... Ecoute : j'avais mis de côté quarante mille francs, sans que Fred le sache, pour m'acheter deux petites robes qui me plaisent et sur lesquelles j'ai un rabais... Si ça pouvait t'arranger, j'attendrais jusqu'à la semaine prochaine pour les payer, et je te donnerais mes quarante mille d'économies... Ce serait toujours un début !

— Tu es un ange !

— Pour les soixante mille restant, je vais taper deux ou trois copines qui se débrouillent assez bien et qui sont indépendantes. Comme elles n'ont pas de comptes à rendre, ça ne les gênera pas trop. Je demanderai vingt mille à chacune sans leur dire exac-

tement pourquoi c'est. J'inventerai quelque chose qui
les attendrira : par exemple que c'est pour une amie
qui est en clinique et qui va accoucher clandestine-
ment... Ça prend toujours, ces bobards-là !

— Si tu y arrivais, tu me rendrais un grand service !

— A quelle heure pars-tu demain, avec ton militaire ?

— Vers onze heures du matin..

— Dans ce cas, rendez-vous ici pour nous deux,
demain, à dix heures et demie. A moins que je ne
sois une vraie cloche, j'aurai le fric ! Sur ce, je file...
Je me mets en campagne !

— Merci !

— Dis : je sais que tu es heureuse mais ne m'oublie pas trop quand même ? Moi aussi, j'ai besoin
d'un ami de cœur... Je suis sûre que le tien en a un
en réserve dans ses relations !

Le lendemain, à l'heure dite, la petite Jeanine
apportait les cent billets à « sa grande amie »
qui les avait reçus, rêveuse, en pensant qu'il pouvait
y avoir d'admirables trésors d'amitié cachée dans
le cœur d'une fille.

Ce souvenir avait passé très vite dans la mémoire
d'Agnès pendant que M. Bob l'observait avec curiosité :

— Rêveuse ?

Elle ne répondit pas.

— Je comprends ça... Moi, les retours de vacances,
je trouve que ça laisse toujours un peu de nostalgie !

— Comme vacances, les miennes auront été plutôt courtes !

— Ne te plains pas trop, mignonne ! Il y a beaucoup de filles qui n'en ont jamais !

— J'ai sommeil...

— Va dormir ! C'est encore ce que tu feras de mieux : demain, tu n'y penseras plus. Et moi, puisqu'il n'est pas encore trop tard et que tu m'as rapporté des munitions, je vais me risquer à Enghien. Depuis que tu y as été, tu as compris que les meilleures parties sont celles qui finissent à l'aube.

Elle le regarda avec mépris, mais il ne parut pas s'en apercevoir.

Il attendit, pour partir, qu'elle se mit au lit et, quand elle y fut, il se pencha pour demander, presque à voix basse, comme un homme attentionné qui sait que sa compagne est lasse.

— Tu lui as dit ?

— Dis quoi ? répondit-elle en rouvrant les yeux.

— ... que c'était la dernière fois ?

— Puisque tu le voulais !

— Qu'a-t-il répondu ?

— Qu'il me regretterait toujours...

— Ça, je le comprends... Bonsoir !

Dès que la porte du vestibule se fut refermée, elle bondit du lit et courut se poster dans le coin de la fenêtre pour voir partir la *Chevrolet*.

Puis elle revint vers son sac qu'elle avait posé négligemment dans un placard. Pendant tout le temps de la présence de Bob, elle avait tremblé qu'il ne fouillât dedans comme il ne s'était pas gêné de le faire à maintes reprises. Mais comment un individu pareil aurait-il pu supposer qu'un autre homme fût capable d'offrir un bijou de prix uniquement parce que le cadeau représentait un serment ? Une fois encore, elle regarda longuement et avec amour la pierre précieuse. Ceux qui prétendaient que les émeraudes portaient malheur étaient des fous ou des ignorants ! Celle-ci commençait déjà à lui porter bonheur. Elle la cacha entre deux mouchoirs brodés, dans la penderie, où elle mettait ses affaires personnelles. Revenue dans le living-room, elle demanda au téléphone le numéro de Saint-Germain que James lui avait indiqué :

— Allô ? C'est vous, James ? Vous ne dormez pas encore, chéri ? Moi non plus... Je ne le peux pas. Tout cela est trop beau ! Merci, James, pour cette bague. C'est le plus beau présent du monde ! Je vous aime ! Je voulais vous le redire... Ah ! Demain, ne pourrions-nous pas nous retrouver un peu plus tôt ? A cinq heures, par exemple, au lieu de sept ? C'est parce qu'en rentrant chez moi, je viens de trouver une lettre « exprès » de ma maison de couture me convoquant pour une présentation de nuit de la collection...

La voix aimée répondit :

— Darling, c'est tout à fait d'accord. Mais profitez de l'occasion pour donner un préavis de départ...

— Claude Vermand me laissera partir quand je le voudrai... Mais vous avez raison : je la préviendrai dès demain... Bonsoir, mon amour !

— Good night, petite fiancée...

M. Bob ne rentra qu'à neuf heures du matin. Agnès, levée et habillée depuis longtemps déjà, avait compris — en retrouvant sur son visage l'expression crispée qu'elle lui avait connue à Enghien — qu'il n'avait certainement pas gagné au jeu et elle s'attendait à ce qu'il lui annonçât, comme cela s'était produit si souvent : « Je n'ai pas eu de chance ! » Il n'en fut rien. L'homme se borna à dire :

— Tu es bien matinale ?

— L'amour n'a pas d'horaire...

— C'est, ma foi, vrai ! Alors, bonne chance ! Je vais dormir... N'oublie pas que nous dînons ensemble ce soir, ici...

Agnès se revoyait ensuite chez Claude Vermand. Leur long conciliabule, où « la Patronne » s'était montrée tout à tour prudente et attendrie à l'égard de son ancienne camarade, s'était terminé par un nouvel accord de complaisance. La couturière avait fini par comprendre qu'elle avait tout intérêt, cette fois, à ne rien refuser à celle qui était devenue la fiancée d'un Américain.

Le lendemain, à quatre heures de l'après-midi, James pénétrait dans les salons de Claude Vermand.

La présence de ce splendide garçon en uniforme, assis au milieu de toutes les clientes qui attendaient la présentation de la collection, fut des plus remarquée. Mais le flegme de l'officier ne s'en embarrassait point.

Le défilé commença. Trois mannequins passèrent dans des robes aux noms évocateurs avant qu'Agnès n'apparut dans un élégant ensemble de voyage. Sept fois elle revint, portant tour à tour robes d'après-midi, tailleurs et décolletés du soir avec un chic iné-galé : ce fut en la voyant dans l'exercice de sa « pro-fession » que James comprit qu'être mannequin est une fonction des plus difficiles. Une dernière appa-rition d'Agnès en robe blanche clôtura le défilé : le fiancé crut voir une mariée de rêve.

Quelques minutes plus tard, quand elle vint le re-joindre, accompagnée de Claude Vermand, il déclara :

— Les robes que vous portez vous vont à ravir, Agnès ! Je pense qu'il faut toutes les acheter... N'est-ce pas votre avis ?

Elle souriait.

— Et je tiens absolument, ajouta-t-il, à ce que vous ayez cette robe de mariée... Quand votre sœur et ses vieux pensionnaires vous verront ainsi, ils seront très fiers que vous ayez choisi une aussi belle robe pour leur chapelle !

— Combien le tout ? demanda-t-il à la directrice.

La complaisance de celle-ci s'assaisonna de souri-res et de grâces :

— Nous allons vous faire un prix puisque votre fiancée faisait partie de la Maison. A ce propos, je crois que j'ai un petit papier à vous remettre, com-mandant ? Le certificat de votre fiancée.

« Mon cadeau de noce », ajouta-t-elle à voix basse pour Agnès.

Quand ils sortirent, il ne restait guère qu'une heu-re avant qu'elle soit obligée de retrouver M. Bob.

— Chéri, lui dit-elle, je suis désolée de ne pas pouvoir passer cette soirée avec vous, mais il m'était difficile de refuser à mes camarades et aux employés de la maison, où j'ai travaillé pendant ces trois années, un dîner d'adieu...

— En somme, dit-il avec un bon sourire, c'est l'enterrement de votre vie de mannequin ! Cette journée a été efficace puisque vous voilà libre, et bien habillée, je crois. Mais il ne s'agit encore que de robes et ce n'est pas tout ce qui doit composer le trousseau de ma femme ! Vous avez encore beaucoup d'achats en perspective, avant de vous marier, et il ne serait pas concevable que vous quittiez Paris, la ville de l'élégance, sans vous être munie de tout ce dont une femme aussi belle a besoin... Or j'imagine que tout cela coûte très cher..

C'était lui, à son tour, qui rougissait en abordant un sujet qui lui semblait délicat.

— Darling, ajouta-t-il avec plus d'émotion dans la voix et en baissant les yeux, j'imagine que les appointements d'un mannequin parisien, quelles que soient ses qualités professionnelles, ne lui permettent sans doute pas de se lancer dans des frais somptuaires considérables. Ceux d'un commodore du SHAPE sont probablement bien plus importants ! Permettez donc à votre futur mari de venir en aide à sa future épouse... Je veux que ma femme soit très élégante. Cette exigence de ma part m'oblige à en faire les frais... Darling, faites-moi la grâce d'accepter ceci ?

Il lui mit entre les mains un portefeuille de cuir blanc, épais et gonflé.

Elle refit son geste tant de fois répété, ce geste par lequel elle acceptait des billets que des clients lui tendaient avec moins de discrétion — geste aussi qui lui avait fait recevoir les premiers subsides que « Georges Vernier » lui avait offerts avec presque autant de délicatesse apparente. Pouvait-elle refuser cet argent dont elle avait un si brûlant besoin ? Elle enfouit le portefeuille de cuir blanc dans son sac à main avec un sentiment de soulagement plus fort que sa honte...

Restée seule, elle regarda sa montre : elle avait peut-être encore le temps de s'acquitter d'un devoir avant de rentrer. Elle n'était pas loin de la rue Marbeuf. Elle y fut en quelques minutes.

Jeanine était assise sur son tabouret habituel devant sa tasse de café :

— Je t'avais promis de te rendre aujourd'hui ce que tu m'as prêté, dit Agnès. Voilà...

Elle enfouit dans le sac de sa jeune amie les cent billets avant d'ajouter :

— Merci encore ! Je te revaudrai ça. Tu es une chic fille !

— Ça tombe à pic : qu'est-ce qu'il peut me « taner » en ce moment, le Fred !

— Vrai ?

— Je ne sais pas ce qu'il a depuis deux jours mais je te jure qu'il n'est pas à prendre avec des pincettes ! A l'écouter, il faudrait que je rapporte cinquante billets par jour ! Il exagère !

— Ils sont tous pareils...

— Parlons plutôt de tes amours, dit Jeanine. Alors, ce week-end ?

— Merveilleux, grâce à toi !

— Ça me fait plaisir.

Les yeux de la fille brune pétillaient de joie, au récit de l'idylle de Chantilly. Agnès, touchée de tant de dévouement, se promettait, dès qu'elle-même serait libre, de faire l'impossible pour aider à la libération de cette modeste mais très sincère amie.

Lorsqu'elle rentra rue de la Faisanderie, M. Bob l'y attendait.

— Combien as-tu fait aujourd'hui ?

— Voilà, dit-elle. Trente mille...

— Depuis que tu n'as plus ton Américain, les rentrées sont basses. Mais j'aime mieux ça ! Maintenant, faisons notre dînette d'amoureux !

— Je n'ai pas faim, dit Agnès, et, de plus, j'ai la migraine.

— Ça te passera, ma jolie ! Voici les beaux jours : un de ces matins, je t'emmènerai en vacances sur la Côte d'Azur. En attendant, sois belle et dors bien !

La visite de l'officier de marine fut un événement sans précédent avenue du Maine. Jamais, de mémoire de petite Sœur, on n'avait souvenance qu'un commandant américain en uniforme eût franchi le portail de la Maison des Pauvres ! Dès son arrivée avec James, Agnès se rendit compte qu'Elisabeth n'avait pu résister à la joie d'annoncer la nouvelle à son vaste entourage. Il n'y avait pas une fenêtre, s'ou-

vrant sur l'intérieur des bâtiments, où l'on n'aperçût
— côté cour — un visage parcheminé de vieille, et
un crâne dénudé de vieux — côté jardin. Même au
quatrième étage, celui de l'infirmerie, la curiosité
avait redonné assez de forces aux « permanents »
encore tant soit peu valides, pour s'arracher à leurs
lits. Dans l'encoignure de chaque porte du rez-de-
chaussée, on entrevoyait — se dissimulant mal —
le bonnet blanc d'une petite Sœur...

Sœur Agathe, la portière, commentait l'événement,
tout en conduisant les visiteurs vers le parloir :

— Ça, on peut remercier le Ciel, mademoiselle
Agnès ! Pour un beau jour, c'est un beau jour ! Si
vous saviez ce que Sœur Elisabeth est contente !
Nous avons toutes fait hier soir la prière commune
pour votre bonheur...

Sans qu'il y eût rien de changé dans la grande
bâtisse, il flottait, dans l'air de la Maison, une atmosphère de fête... C'était comme si l'amour profane,
personnifié par un beau jeune couple, venait de pénétrer brusquement dans l'enceinte de charité pour
venir renforcer l'Amour Divin qui, lui, régnait là en
permanence... L'objet de tous les regards, de tous
les chuchotements, de tous les petits cancans n'était
pas tellement « le grand mannequin », que tout le
monde connaissait et aimait depuis des années, mais
le géant blond aux yeux clairs qui traversait — avec
la tranquille nonchalance de tous les marins du monde lorsqu'ils sont à terre — la grande cour aux côtés
de sa fiancée. Pour les vieilles et pour les vieillards,
c'était une bouffée de jeunesse... Peut-être était-ce

aussi, pour certains, le rappel de lointains souvenirs...

Elle se retrouva seule avec James dans le parloir ripoliné où elle eut tout de suite pour saint Joseph un regard de reconnaissance.

Ni Agnès ni James n'avaient entendu Elisabeth s'approcher, tellement son entrée avait été discrète et légère. James se retourna et il demeura figé, fasci né par l'émouvante ressemblance. Instinctivement, son regard alla d'Elisabeth à Agnès et d'Agnès à Elisabeth : le même sourire amusé était sur leurs deux visages et, finalement, l'officier eut, lui aussi, un sourire, en balbutiant, intimidé :

— C'est prodigieux ! Vraiment le Bon Dieu s'est montré généreux en façonnant une aussi belle créature en deux exemplaires !

— Il n'a pas, non plus, trop mal fait les choses en ce qui vous concerne, James, répondit la petite Sœur qui recula pour mieux les regarder ensemble. James plaît beaucoup à ta famille, ma petite Agnès. Ta famille, c'est moi ! Embrassez-moi, futur beau-frère... Je vous promets que c'est la première fois de ma vie que je demande cela, non seulement à un marin, mais même à un homme !

— Et moi, c'est la première fois que j'embrasse une religieuse, dit le géant blond.

— Et voilà ! conclut Elisabeth. Il était écrit que nos uniformes devraient se frôler un jour... Si nous allions tous les trois à la chapelle remercier le Bon Dieu qui nous envoie tant de vraies joies ?

Ils traversèrent à nouveau la cour : le géant était encadré par les deux jumelles. Toutes les têtes avaient reparu aux fenêtres, mais ni Elisabeth, ni James, ni Agnès n'y prêtèrent attention : ils allaient vers le sanctuaire...

Lorsqu'ils en ressortirent, Agnès dit à sa sœur :

— James et moi avons pensé que ce serait merveilleux de pouvoir nous marier dans cette chapelle. Penses-tu que ce soit possible ?

— Si c'est possible ? s'exclama Elisabeth. Mais c'est absolument nécessaire ! Depuis quelque temps, il y a eu beaucoup trop d'enterrements ici... Il faut un mariage pour rétablir un juste équilibre. Personnellement, je vous remercie d'avoir eu cette pensée : aucune ne pouvait me faire plus de plaisir ! Je vais en parler à notre Très Révérende Mère Supérieure et à M. l'Aumônier... Sans doute faudra-t-il obtenir aussi une autorisation spéciale de l'Archevêché ? Saint Joseph s'en chargera..

— Chérie, dit Agnès, la visite de la Maison intéresserait beaucoup James.

— Mais elle était déjà prévue au programme. On vous y attend partout !

Cela commença par le bâtiment des vieilles, où Sœur Kate était parvenue, non sans mal, à les grouper dans le réfectoire après les avoir menacées de sa grosse voix :

— Si l'une de vous se dispute encore avant l'arrivée de « nos » fiancés, je le dirai au général américain !

Pour Sœur Kate, James ne pouvait être que général !

220

La menace avait produit son effet : tous les papotages cessèrent comme par enchantement quand le géant blond pénétra, escorté des jumelles, dans la vaste salle. Un moment, James resta interloqué et très intimidé par la présence des trois cents vieilles, assises, qui l'observaient... .

Tel un capitaine présentant son escadron à un supérieur hiérarchique, Sœur Kate s'avança et dit :

— *Morning, general...*

— *No ! Commodore only,* précisa James en souriant. *Are you English ?*

— *No !* répondit Sœur Kate pendant que ses yeux lançaient des éclairs. *I am Irish ! And I am proud of it !*

— *Sorry, Sister...*

Et l'étrange revue commença dans le réfectoire. L'officier allait de table en table, serrant les mains calleuses qui se tendaient les unes après les autres, pendant que Sœur Kate énumérait les prénoms : Eudoxie, Berthe, Jeanne, Lucie, Blanche, Félicité... Mélanie elle-même, la farouche, l'insupportable Mélanie, gratifia le bel officier d'un splendide sourire édenté. Ce fut un vrai succès. Agnès suivait James, serrant elle aussi les mains de ces vieilles dont certaines devaient revivre le souvenir d'un amour perdu... Complicité de femmes que l'éloquence des regards pouvait traduire ainsi : « Nous sommes avec toi, petite... Merci de nous faire partager ton bonheur d'amoureuse ! »

Au moment de quitter le réfectoire, l'officier se retourna et se figea au garde-à-vous pour saluer toutes les femmes. Il se passa alors un événement qui bouleversa Sœur Kate parce qu'elle n'était pas allée jusqu'à l'ordonner : les vieilles, spontanément, applaudirent avec de petits vivats ! James était adopté.

La découverte méthodique de la grande Maison se poursuivit par une visite à l'infirmerie des hommes, chez les « permanents » : l'un des deux domaines réservés à Sœur Elisabeth. L'Américain sut conserver son merveilleux sourire pour les vieux dont les visages hébétés et les yeux fixes prouvaient qu'ils n'avaient plus toute leur raison. Avec ceux que des jambes usées refusaient de porter, mais dont le cerveau était encore alerte, James ne craignait pas d'engager la conversation. Le « permanent » qui le retint le plus longtemps auprès de lui fut le champion de dominos, le père Constantin, auquel il dut promettre de revenir spécialement un jour pour faire une partie « d'homme à homme ».

— Jouez-vous bien, commandant ? demanda le bonhomme.

— C'est-à-dire que j'aurais plutôt la pratique du poker !

— Les cartes ! Pouah ! Parlez-moi des échecs à la rigueur, mais pas des cartes ! Rien ne vaut quand même la satisfaction que vous apporte un noble double-huit ! N'est-ce pas, ma Sœur ?

— Le fait est... commença Elisabeth.

Mais « le champion » ne lui laissa pas le temps de terminer son approbation. Il s'était déjà penché vers James et Agnès, en mettant sa main devant sa bouche pour rendre plus secrète la confidence que la surdité l'obligeait à hurler.

— Je ne veux pas trop lui faire de peine à la petite Sœur, mais elle ne saura jamais jouer convenablement ! Elle est remplie de bonne volonté, c'est tout... Les dominos, il faut avoir ce goût-là dans le sang ; c'est comme le billard : c'est un don !

Après l'infirmerie, la « tournée » continua par une incursion à la cuisine, où l'imposante et plantureuse Sœur Dosithée, une Canadienne française, régnait en maîtresse olympienne sur les fourneaux où trônaient d'immenses casseroles.

— Cela sent très bon ! remarqua Agnès.

— Ce soir, répondit Sœur Dosithée, en l'honneur de votre visite et de celle de votre fiancé, il y aura le dessert favori de tout le monde : la crème au caramel.

Puis elle ajouta, dans un soupir :

— C'est ce qui est le plus facile à avaler pour ceux qui n'ont plus beaucoup de dents !

Sœur Dosithée était assistée de trois petites Sœurs italiennes, dont le zézaiement et le teint bruni évoquaient le sud de la péninsule. James ne put s'empêcher d'en faire la remarque :

— Magnifique ! Cela me rappelle notre débarquement à Naples en 1944... Toute la population nous y a accueillis avec du soleil dans la voix, malgré la misère et l'horreur qui s'étaient abattues sur l'admirable ville... Comme c'est bien à vous d'avoir apporté un peu de votre soleil dans cette Maison où tant de vieux ont besoin d'être réchauffés !

En attendant ces mots, Sœur Paola, Sœur Marcelina et Sœur Catarina surent trouver le plus beau de leurs sourires.

De la cuisine, on passa à la buanderie, où les machines à laver étaient surveillées par deux petites Sœurs qui pouvaient parler entre elles la même langue : une Madrilène et une Chilienne.

A l'Irlande, au Canada, à l'Italie, à l'Espagne, à l'Amérique du Sud succéda la Hollande, représentée par Sœur Béatrice, qui n'avait pas son égale dans la communauté pour ranger harmonieusement dans la lingerie les piles de draps et de serviettes dont la consommation vertigineuse posait l'un des plus graves problèmes de la Maison.

— Avec nos six cents vieux et vieilles, il nous faut, avoua Elisabeth, au minimun, un roulement hebdomadaire de quinze cents paires de draps et de deux milles serviettes ! Nous ne pourrions pas nous en sortir si nous ne blanchissions pas tout nous-mêmes.

Les piles de linge de Sœur Béatrice, alignées sur les rayons d'immenses étagères, sentaient bon la lavande et toute la propreté des Pays-Bas.

— En somme, conclut James en sortant de la lingerie, votre Maison est un véritable SHAPE de la charité ! On entend parler toutes les langues dans votre « Etat-Major », Elisabeth. On y côtoie, parmi vos compagnes, des représentantes de tous les peuples de bonne volonté.

— L'une des règles essentielles de notre Ordre est d'essayer d'utiliser chacune d'entre nous au mieux de ses compétences. Personnellement, j'aurais été déplorable à la cuisine !

— Tu n'aimais déjà pas la faire quand nous étions jeunes filles ! remarqua Agnès.

— Je crois que, pour réussir dans cet art, il faut être un peu comme toi, ma chérie, gourmande ! Oui, quand votre fiancée était plus jeune, mon cher James, c'était son péché mignon. Depuis qu'elle a voulu être mannequin, elle a dû beaucoup changer pour pouvoir conserver la fameuse ligne ! Mais je le déplore : je l'aimais gourmande. C'est peut-être aussi l'une des qualités de la bonne maîtresse de maison.

— C'est bien pour cela que j'épouse une Française ! confia James en riant. Moi aussi, j'aime tout ce qui est bon !

La visite se termina par un détour chez les « terribles ». Ce fut là, véritablement, que le « Commodore » connut son plus grand triomphe de la journée... Ils étaient tous présents : *Le Bijoutier, le Cavalier, le Financier, le Chanteur* et autres héros... Et chacun d'eux eut à cœur de parler de son ancienne profession en posant à James les questions les plus saugrenues :

— Que pensez-vous aux Etats-Unis, demanda *le Bijoutier*, de l'orfèvrerie d'art française ?

L'officier comprit qu'il devait répondre, même s'il ne s'était jamais intéressé à la question. Il sut le faire d'une manière qui satisfit son interlocuteur et amusa Elisabeth :

— La France a toujours eu de très grands artistes et d'admirables artisans tels que vous, que nous lui envions aux U.S.A.... Vous êtes des créateurs en tout, et nous des réalisateurs : c'est pourquoi nous sommes faits pour nous compléter !

Le Cavalier partit à son tour à l'attaque et, comme il ne vivait que dans le souvenir de l'Ecole de Cavalerie de Saumur, il mit son panache à le faire « à la française » :

— Vos cow-boys ne connaissent même pas les principes élémentaires de l'équitation... Ils ne tiennent en selle que par goût de l'acrobatie !

— Nos cow-boys ont eu des prédécesseurs chez vous : les « guardians » de Camargue... N'oubliez pas que nous sommes encore un peuple jeune ! Mais nous aimons et admirons ce que vous appelez « un homme de cheval » : il possède une maîtrise de lui-même et une élégance qui nous fascinent. Je reconnais que c'est assez surprenant qu'un marin vous dise ces choses mais je pense que tous les marins du monde doivent aimer les chevaux ! C'est un des paradoxes de leur vie...

— Qui fait de la haute école dans votre pays ?

— Les femmes, cher monsieur... Toutes les femmes américaines ont l'âme de ces amazones qui comprennent que l'homme de leur vie doit être avant tout un bon cheval.

— Un cheval de labour ?

— Et pourquoi pas ? N'êtes-vous pas fiers de vos percherons ? J'ai visité vos haras du Pin. C'est extraordinaire !

— Vous connaissez même les haras du Pin ? Ça, pour un marin qui, de plus, est américain, c'est formidable ! Commandant, j'ai une furieuse envie de vous saluer militairement ! Oh ! ce ne sont pas vos galons qui m'impressionnent : c'est votre personnalité... Quel est donc l'imbécile qui disait hier soir ici — quand on a annoncé que la sœur jumelle de « notre » Elisabeth allait épouser un Américain — que vous étiez tous faits sur un modèle standard ? Où est-il, ce crétin ?

— C'est moi ! déclara non sans un certain orgueil Melchior de Saint-Paumier, *le Chanteur*... Oui, je ne vous le cacherai pas plus longtemps, commandant, et j'ose espérer que votre charmante fiancée — que nous aimons beaucoup et que nous considérons un peu comme « nous » appartenant puisqu'elle est la réplique de « notre » petite Sœur — ne m'en voudra pas d'être aussi franc. Je l'avoue : je n'aime pas du tout les Américains !

— Darling, dit gaîment James à Agnès, voilà une opinion qui m'enchante ! Ils sont *wonderful,* les vieux amis de votre gentille sœur... Puis-je savoir, cher Monsieur, pourquoi vous ne nous aimez pas ?

— Je tiens d'abord à préciser, commandant, répondit avec emphase le cabotin manqué, que je ne parle ni de Benjamin Franklin, ni du général La Fayette, ni de Buffalo Bill. Je me place simplement sur un plan artistique... Le fait est là : vous n'avez pas d'artistes, aux Etats-Unis !

— Nous en avons trop : tous ceux du monde entier qui viennent nous voir parce qu'ils préfèrent le dollar à toutes les autres monnaies !

— Ces gens-là ne sont pas des artistes ! Le véritable artiste travaille pour l'amour de l'Art ! Quand il triomphe sur les planches, il est exactement comme vous lorsque vous êtes sur la passerelle de commandement de votre navire : il règne !

— Vous êtes artiste dramatique ?

— Cela ne se voit donc pas ? répondit, superbe, Melchior de Saint-Paumier en rejetant, selon son geste de prédilection, son opulente crinière en arrière... Oui, commandant, je suis un artiste qui a eu l'honneur d'appartenir à une catégorie, hélas ! en voie de disparition aujourd'hui, et que les foules appelaient avec respect : « Ceux du Caf'Conc' »... Ça ne vous dit rien, évidemment : dans un pays tel que le vôtre, il n'y a eu ni *Concert Pacra*, ni *Petit Casino*, ni *Folies-Belleville*, ni *Eden* d'Asnières...

Pendant que la voix de Melchior de Saint-Paumier continuait à s'enfler pour évoquer les lieux enchantés de ses exploits, James avait commencé à siffloter tout doucement, et en souriant, une vieille rengaine. Saisi par la mélodie qu'il entendait, le *Chanteur* demanda :

— Vous connaissez donc cet air, commandant ?

— Je puis même vous dire qu'il est américain.

— C'est ma foi vrai ! je l'ai chanté en 1918.

— *Roses of Picardy*...

— C'est bien cela : *Roses de Picardie*... Ce fut l'un de mes plus grands succès !

— Dans l'un de ces « Caf'Conc' » que vous regrettez tant ? Nous en avions aussi dans toutes nos villes, pour pouvoir y lancer ces chansons que vous repreniez ici...

— Vous avez même eu des « Caf'Conc' » ? répéta Melchior admiratif et effondré. Il ne me reste plus qu'à m'excuser de ce que je vous ai dit tout à l'heure. Pardonnez-moi, commandant... Vous avez eu aussi de vrais artistes chez vous !

James sut avoir le triomphe modeste pour subir l'ultime assaut : celui de « Monsieur Raymond », *le Financier*, qui demanda :

— Tout à l'heure, commandant, vous avez parlé de dollars... N'avez-vous pas l'impression qu'un jour prochain viendra, avec le relèvement actuel de notre monnaie, où ce sera la France qui prêtera de l'argent aux Etats-Unis ?

— Nous en serions ravis, parce que nous aimons que votre pays, le plus beau du monde, ait une monnaie digne de lui. Si ce jour venait, cher Monsieur, ce serait vous qui nous enverriez des touristes : nous avons tellement de choses à leur montrer à notre tour !

— Nous vous rendrons votre visite avec le plus grand plaisir, commandant !

De petites victoires en petites victoires, le « Commodore » avait gagné la grande bataille de la sympathie. Les « terribles » ne l'accordaient que rarement. Depuis longtemps, ils avaient « adopté » Agnès, puisqu'elle était la jumelle de l'unique petite Sœur qui avait réussi, non seulement à leur imposer la discipline de la Maison, mais aussi à se faire aimer comme jamais peut-être une religieuse ne l'avait été ! Pour eux tous, Sœur Elisabeth était un personnage « tabou » et il en était de même pour tout ce qui la touchait, de près ou de loin : c'était ainsi qu'Agnès était devenue, elle aussi, « tabou »... Mais, quand Sœur Elisabeth leur avait annoncé, la veille, qu'ils recevraient sans doute le lendemain la visite d'Agnès escortée d'un fiancé, officier de la Marine américaine, il y avait eu un silence... Aucun de ces irréductibles n'avait posé de questions mais la petite Sœur avait très bien compris leur réserve ! Aussi sa joie était-elle grande de constater que celui qui allait être prochainement son beau-frère avait su se montrer plus habile que tous les « terribles » réunis.

Pendant la visite, Agnès n'avait cessé d'observer avec une tendresse attentive les réactions de James. Et son amour n'avait fait que s'accroître pour ce géant blond qui — avant d'être « un homme » au sens le plus fort du mot — savait se montrer un être humain. Elle sentait aussi que si l'officier avait accepté de jouer le jeu jusqu'au bout, au milieu de tous ces vieux et de toutes ces vieilles, c'etait parce qu'il voulait montrer, d'une façon très discrète et très détournée à Elisabeth, toute l'admiration profonde qu'il avait pour elle et pour l'Ordre auquel elle appartenait.

Ils retrouvèrent au parloir la Mère Supérieure qui venait les féliciter. Elle donna volontiers son approbation pour que le mariage eût lieu parmi ses Pauvres. James lui remit un billet, en disant :

— Agnès et moi, Très Révérende Mère, avons pensé que la préparation de la cérémonie religieuse de notre mariage entraînerait pour votre Maison quelques frais ?

— Mille dollars ! dit la Mère Supérieure. Mais ce doit être beaucoup trop ! Combien de francs cela fait-il ?

— Je ne sais pas au juste, répondit l'officier en riant. Ce qui restera vous permettra d'offrir quelques petits cadeaux de notre part aux amis de Sœur Elisabeth, « les terribles ».

Elisabeth jeta un regard vers la statue de saint Joseph :

— C'est lui qui nous fait cette surprise..

— Je vous promets que la chapelle sera admirablement décorée, dit la Supérieure en se retirant. Elle disparaîtra sous les fleurs blanches.

— Et ta robe de mariée, demanda Elisabeth, tu y as pensé ?

— Elle est déjà achetée.

— Cela me rappellera mes propres noces, dit-elle, songeuse. Mais oui, James ! Moi aussi, j'étais en mariée le jour de mes Grands Vœux : c'est moi qui ai donné l'exemple du mariage dans la famille ! Il faut dire aussi que mon époux est d'une telle qualité que je n'avais pas le droit de le faire attendre !

La petite Sœur avait sorti de l'une des vastes poches de sa jupe noire un objet qu'elle cacha mystérieusement derrière son dos, en disant :

— C'est à mon tour, James, de vous faire un cadeau qui, j'espère, vous plaira.

Et elle exhiba une photographie où l'on voyait deux jeunes filles côte à côte :

— C'est votre fiancée et moi quand nous avions quinze ans. J'avais toujours conservé cette photographie, la seule que j'aie de notre jeunesse, en me disant : « Le jour où Agnès m'annoncera ses fiançailles, je la donnerai à son futur mari... »

— Vous me faites, en effet, un grand plaisir, chère petite Sœur Elisabeth, reconnut l'officier en prenant la photographie. Mais je suis très ennuyé à l'idée que vous ne l'aurez plus ?

— Cela n'a aucune importance puisque le jour du mariage, il faudra en faire une nouvelle ici-même après la cérémonie. On nous y prendra tous les trois ensemble, vous, James, au centre et nous deux de chaque côté. Pour une fois, le plus bel uniforme ne sera pas le vôtre, ni le mien, mais celui d'Agnès : ne symbolisera-t-il pas le plus tendre moment de l'espérance humaine ?

— Je suis désolé de vous quitter, petite Sœur, mais je vais être obligé de rentrer au SHAPE.

— Et moi, de retourner à l'infirmerie ! A chacun sa peine...

Au moment de partir, James dit à la petite Sœur :

— Je dis au revoir à l'autre visage d'Agnès...

Après l'avoir déposé à l'entrée du SHAPE, Agnès revint songeuse, vers Paris. Elle touchait presque à son but : les bans venaient d'être publiés, et le mariage devait avoir lieu dans dix jours. La date libératrice était désormais fixée. Le mariage à la mairie aurait lieu l'après-midi à trois heures ; l'office religieux serait célébré le lendemain à dix heures dans la chapelle de l'avenue du Maine. Il y aurait beaucoup de fleurs, il y aurait la « Chorale » dirigée par Melchior de Saint-Paumier, il y aurait toutes les vieilles d'un côté de la chapelle, tous les vieux de l'autre. Il y aurait les prières de la Grande Communauté. Il y aurait les humbles servantes des Pauvres venues de tous leurs pays : d'Irlande, du Canada, d'Italie, d'Espagne, du Chili, de Hollande, de France... Il y aurait surtout enveloppant la pieuse cérémonie de son immense tendresse pour sa jumelle, Elisabeth.

Le soir même, les jeunes mariés s'envoleraient à Orly, pour les Etats-Unis : James avait déjà retenu les places d'avion. De l'aéroport, Agnès posterait une lettre, qui parviendrait le lendemain au Procureur de la République et qui libérerait également la petite Jeanine. Ce serait, pour la fille brune, le cadeau d'adieux de « son amie Cora. » Une lettre, éloquente dans sa vérité, que la jeune femme avait déjà rédigée :

« Monsieur le Procureur,

« Je me fais un devoir de porter à votre connaissance qu'après avoir été pendant trois années l'esclave d'un souteneur, je suis parvenue enfin à me libérer de son emprise. Depuis ce matin, je suis l'épouse du Commodore James X... de la Marine des Etats-Unis. A l'abri, maintenant, de ses représailles, je porte plainte contre Robert X..., surnommé dans le milieu « Monsieur Bob », et qui porte aussi les fausses identités de « Georges Vernier » ou de « Monsieur Fred ». Sous ce dernier pseudonyme, il continue à « protéger » une autre malheureuse qui lui assure, comme je l'ai fait moi-même pendant des années, ses moyens d'existence : Jeanine Z...

« Je sais, Monsieur le Procureur, que vous ne pouvez agir que nanti d'une plainte formelle et écrite : ce que vous n'obtenez que bien rarement de la part de pauvres filles terrorisées par la « loi du Milieu ». Aujourd'hui, je vous apporte cette pièce nécessaire, mais je vous demande, étant donné la personnalité de l'homme admirable qui a bien voulu de moi pour épouse, de taire son nom et le mien. Si j'étais seule, je n'hésiterais pas à donner à cette affaire une publicité qui encouragerait à faire un effort pour libérer celles qui continuent à vivre le calvaire que j'ai connu. Mais je n'ai pas le droit d'agir ainsi par respect et par amour pour deux personnes : mon mari et ma sœur jumelle, une religieuse qui a consacré sa vie aux vieillards pauvres.

« Je suis persuadée, Monsieur le Procureur, que l'exercice de vos hautes fonctions vous a fait connaître assez de misère pour faire de vous un être profondément humain. Par contre, je vous conjure d'empêcher un misérable de continuer à exercer sa monstrueuse industrie. Voici son adresse : rue de la Faisanderie...

« Si vous aviez besoin d'autres renseignements, je vous demande de m'écrire, Poste Restante, à San Francisco, U.S.A. où je résiderai désormais avec mon mari. »

Et ce serait signé Mrs. X... du nom que la loi donnerait à Agnès le droit de porter.

Après avoir soigneusement caché la lettre au fond d'un carton à chapeau placé dans sa penderie, Agnès s'était sentie la conscience tranquille. Peut-être était-elle dans l'erreur en pensant que ce serait suffisant pour déclencher contre M. Bob l'appareil judiciaire ? Mais qu'aurait-elle pu faire d'autre sans courir le risque que James apprît son véritable métier ? Son intention n'était certes pas de lui dissimuler longtemps son passé... Un jour viendrait où elle lui ferait connaître la vérité. Elle saurait choisir le moment : celui où leur amour serait devenu si fort, où leur union serait tellement solide que rien au monde — même le redoutable aveu — ne pourrait plus la compromettre ! James avait déjà prouvé qu'il avait assez de cœur et de grandeur d'âme pour savoir pardonner.

Pour ne pas risquer de donner le moindre soupçon à « Monsieur Bob », Agnès s'arrangeait pour ne voir James que l'après-midi et rentrer régulièrement chaque soir rue de la Faisanderie en prétextant, auprès de celui-ci, qu'elle avait mille et un préparatifs avant le grand départ.

— Qu'allez-vous faire de votre appartement, chérie ? avait demandé James.

— J'ai déjà informé le propriétaire que j'allais le lui rendre.

— Et votre voiture ?

— Je l'ai déjà vendue mais j'ai mis comme réserve que je l'utiliserai jusqu'à la veille de notre départ.

Pour l'appartement, elle avait évidemment fait encore un petit mensonge. Pour l'*Aronde*, elle avait dit la vérité : le produit de sa vente, qu'elle avait déjà touché, joint à la provision que James lui avait remise, constituait une masse suffisante pour continuer à faire croire au souteneur qu'elle rapportait régulièrement entre vingt-cinq et trente mille francs par jour. Elle avait calculé que cela durerait jusqu'au départ. Car il n'avait pas été question pour elle de continuer à « faire des clients » au début de chaque après-midi. Agnès ne trahirait plus jamais celui qui allait être son époux devant Dieu et devant les hommes.

Plus les dates fatidiques approchaient et plus la jeune femme devenait nerveuse. Vingt fois, cent fois par jour, Agnès se répétait : « *Ce n'est pas possible ? Ce n'est pas vrai ? Ce n'est pas croyable que je puisse devenir l'épouse de James dans moins d'une semaine ?* » Et elle se mettait l'esprit à la torture pour bien vérifier qu'elle n'avait pas oublié un détail dans la machinerie secrète de sa libération, pour s'assurer qu'il n'y avait même pas l'infime grain de poussière capable d'anéantir le bonheur qui se rapprochait à grands pas... Plus elle pensait à tout et plus elle se persuadait qu'elle n'avait rien laissé au hasard. M. Bob ne découvrirait les choses que lorsqu'il serait trop tard pour qu'il pût agir.

Combien de fois aussi n'avait-elle pas eu envie de confier le secret de son mariage imminent à Jeanine ! Mais elle s'en était gardée, craignant que la fille brune, dans sa joie de la savoir heureuse, n'eût claironné à celui qu'elle croyait toujours être « Monsieur Fred » :

— Si tu savais comme je suis contente ! Ma meilleure, ma plus grande, ma seule véritable amie va se marier... C'est un secret ; seulement, à toi, je peux le dire : elle va épouser un officier de marine américain !

Il ne fallait pas non plus courir ce risque. Il lui fallait rester prudente jusqu'au bout.

Précisément parce qu'elle était de plus en plus hantée par ce souci de silence, elle avait de plus en plus de difficulté à maîtriser ses nerfs pendant les soirées passées avec M. Bob. Comme un fait exprès, depuis quatre jours déjà, il n'était pas sorti après le dîner, selon son habitude, pour aller jouer dans un tripot ou à Enghien la recette quotidienne. Craignant d'attirer sa méfiance, Agnès se gardait de l'inciter à sortir... Et cependant, comme elle aurait souhaité éviter sa présence pendant ces derniers jours ! Et comme la comédie quotidienne des soirées quasi conjugales lui paraissait insupportable !

Il ne restait plus que quarante-huit heures à passer pour qu'elle devînt l'épouse légitime de James et, dans trois jours, son épouse devant Dieu.

Une nouvelle soirée venait de commencer rue de la Faisanderie. Agnès grillait cigarette sur cigarette, allant du living-room à la chambre, de la chambre à la salle de bains, de la salle de bains à la cuisine, de la cuisine au living-room et pour des riens... Elle ne tenait plus en place, cherchant à éviter toute conversation avec l'homme assis à sa place favorite qui parcourait tranquillement les colonnes d'un journal de courses. Jamais M. Bob n'avait paru plus détendu, ni plus confiant dans la stabilité de leur avenir commun. Son calme avait, pour la jeune femme, quelque chose d'exaspérant... Par moments, elle se demandait même s'il ne faisait pas exprès de se montrer ainsi pour la rendre encore plus nerveuse ?

Alors qu'elle revenait pour la quatrième fois de la cuisine, il finit par lui demander, sans cependant s'arracher à la lecture des pronostics pour le lendemain à Auteuil :

— Qu'est-ce que tu as donc à bouger tout le temps ainsi ?

— Mais, rien.

— Tu ne t'ennuies pas ?

— Pas le moins du monde...

— Veux-tu que nous allions faire un petit tour au Bois en voiture ?

— Non merci. Je suis très bien à la maison...

— Alors, reste tranquille ! L'exercice en chambre que tu fais l'après-midi ne te suffit donc pas ?

— Tu es toujours d'une galanterie !

Elle alla respirer l'air sur le balcon et attendit un bon moment avant de dire sans se retourner et sans oser le regarder :

— Et toi, tu ne vas plus à Enghien ?

— Non : j'ai envie de rester auprès de ma femme... Et elle ?

Agnès resta silencieuse. Il reprit de sa voix douce, après avoir plié tranquillement son journal :

— Elle n'en a aucune envie !

— Qu'est-ce qui te fait dire cela ?

— Ceci...

Il lui tendit un prospectus publicitaire en ajou
tant :

— Lis ! C'est très instructif...

Elle jeta un regard sur l'en-tête où il y avait imprimé :

Organisation de noces et banquets
Maison de toute confiance

et elle blémit.

— Mais oui, continua Bob, toujours souriant. C'est
arrivé, sous une belle enveloppe libellée à ton nom,
alors que tu étais déjà sortie, au deuxième courrier
de la matinée... Avec toutes les réclames qu'on ne lit
jamais, qu'on flanque au panier ! J'ai failli en faire
autant, mais cet en-tête alléchant a attiré mon attention... Et je me suis demandé : « Pourquoi diable en-
voie-t-on ce genre de prospectus à ma petite Agnès
adorée ? Aurait-elle préparé, en secret de son Bob, la
charmante surprise des épousailles ? » Le mot épousailles en amène forcément un autre par association
d'idées : le mot « mairie »... Et j'ai pensé que l'endroit où ces entrepreneurs de « noces et banquets »
trouvent les adresses de leur clientèle étaient les ta-
bleaux placés dans les couloirs des mairies et où l'on
affiche les bans ! Piqué de curiosité, je me suis rendu
à la mairie du XVIe dont nous dépendons, et j'y ai
eu, en effet, une belle surprise ! Ce n'était pas tout à
fait celle que j'aurais souhaitée, mais enfin, c'était
quand même une surprise ! J'y ai appris que ma charmante Agnès allait convoler prochainement avec un

brillant « Commodore » — rien que cela ! — de la noble marine des Etats-Unis d'Amérique ! Il ne m'a pas été difficile d'apprendre, à cette même mairie, la date et l'heure exacte du futur mariage. Au cas où tu l'ignorerais, j'ai l'honneur de t'informer qu'il est prévu pour après-demain, à 15 heures... Qu'est-ce que tu penses de ma petite histoire, Agnès de mon cœur ?

— Ce n'est pas une histoire, répondit-elle avec un calme subitement retrouvé. C'est la vérité !

— La vérité ! Je m'en doutais un peu... Mais une publication de ban n'est pas un mariage. C'est une annonce préalable, une invitation à quiconque de formuler un empêchement, s'il s'en trouve. Eh bien, ma chère, je fais empêchement à la cérémonie, et le mariage n'aura lieu que si j'y consens !

— Vraiment ? Je ne serais pas bigame. Tu n'es pas mon mari, que je sache ? Tu n'es rien pour moi, « Monsieur Bob » !

— Je suis tout ! Tu vas t'en apercevoir... Je t'avoue que cet après-midi, après la découverte que je venais de faire, je n'ai plus eu aucune envie d'aller aux courses. Je suis rentré bien sagement ici, où j'ai eu tout le loisir de réfléchir en attendant ton aimable retour. C'est le bénéfice de ces réflexions que je vais te livrer... J'ai évidemment devant moi plusieurs solutions... La première, qui pourrait sembler la plus simple, serait de te supprimer...

— Comme tu l'as fait pour Suzanne ?

Il ne répondit pas. Elle répéta avec force :

— Je sais que tu l'as tuée, Bob !

— Si c'était vrai, dit-il, nous ne serions que deux à le savoir ! Tu comprends ?

— Je comprends, mais je n'ai pas peur. Si tu fais obstacle à mon mariage, je te dénoncerai pour ce crime, en même temps que pour proxénétisme. Qu'est-ce que cela me fait de risquer la mort si j'ai perdu l'espoir de ma vie ?

— Tu ne bougeras pas pour deux raisons : l'affaire de Suzanne est classée depuis plusieurs mois : la police a horreur de rouvrir des dossiers dont l'intérêt est des plus médiocres pour elle. Qu'est-ce que tu veux que ça lui fasse qu'il y ait une Suzanne de plus ou de moins sur la terre ? Et quelle preuve pourrait-on trouver pour soutenir une accusation contre moi ? Aucune, aucune ! Secondement, si tu te « mettais à table », soit à propos de Suzanne, soit pour m'accuser de proxénétisme, il faudrait que ce soit avant ton mariage ! Tu n'as plus beaucoup de temps... Et ton Américain apprendrait, par le fait même de tes déclarations, ta véritable profession que tu lui as soigneusement cachée. Est-ce cela que tu recherches ?... Allons, pas de drame. Je te propose une troisième solution qui est la bonne... Te souviens-tu qu'un jour tu m'as demandé à combien je te taxerais si j'acceptais de te « libérer ». Eh bien, j'accepte le principe. Il n'y a qu'un point qui reste à fixer : c'est la valeur de ta viande !

Elle eut un haut-le-corps :

— Tu te crois à la Villette ?

— Même pas ! Je ne m'intéresse qu'au bétail sur pieds... Quoi qu'il en soit, tu es d'une viande qui rapporte. Et comme cette viande est à moi, tu dois te douter qu'il va falloir y mettre le prix ! Ton Américain est riche : quand un homme comme lui est décidé à se marier avec une femme comme toi, il ne regarde pas à la dépense ! Disons donc cinquante mille dollars...

— Tu es fou ?

— Je crois être, au contraire, assez raisonnable... Au cours actuel, cela fait à peu près vingt-cinq millions de francs. Ce n'est pas que je me sente tellement attiré par ces millions : tu connais mon mépris souverain de l'argent, et tu te doutes de l'usage que j'en ferai... Seulement, justement, il y a des années que je rêve de faire sauter la banque dans un casino ! Grâce à ton mariage, ce rêve va peut-être enfin se réaliser ! Note bien que tu les vaux largement, ces vingt-cinq briques : c'est ce que tu pourrais me ramener en deux années, si je te secouais un peu... Tu vois le manque à gagner ?

— A moins que tu n'aies déjà pris tes dispositions pour me remplacer ?

— On ne peut décidément rien te cacher !

— Et « l'entrevue » a eu naturellement lieu rue de Ponthieu ?

— Rue de Ponthieu. Je suis un homme de tradition... La fille n'est pas trop mal : elle te ressemble même par certains côtés : blonde, grande, distinguée, un peu pimbêche... Mais ça lui passera !

— Un mannequin ?

— Je te l'ai dit : je suis fidèle à mes principes... Seulement, il va falloir l'éduquer, cette belle enfant !

Pour arriver à ce qu'elle ait le même rendement que toi, il faudra bien deux années. Tu vois que mes calculs sont justes.

— Et tu te figures que, pendant toute ta vie, tu pourras continuer à agir ainsi ?

— Pourquoi non ? Je connais très bien mon métier ! Je t'assure que tu es vexante... Alors ? C'est d'accord pour les cinquante mille dollars ? Maintetenant, si cela arrange ton « fiancé », je veux bien accepter des francs. C'est une monnaie qui a repris de la valeur... Seulement, je veux tout en liquide ! Je conserve un vieux fond de méfiance pour les chèques. Et de la main à la main, bien entendu ! Pas de virement bancaire !

— Où veux-tu que je trouve une pareille somme en vingt-quatre heures ?

— Dans la poche de James... Il ne peut rien te refuser !

— Même s'il le voulait, il ne parviendrait jamais à réunir la somme aussi rapidement.

— Il le faudra cependant !

— Et pourquoi ?

— Tu le demandes ? Si je n'ai pas l'argent demain avant trois heures de l'après-midi, dernier délai, tu ne pourras pas te marier après-demain à la même heure à la mairie du XVIᵉ. C'est tout !

— Je ne vois vraiment pas ce qui m'en empêcherait ?

— Moi ! Ce sera très simple... Tu dois te douter que j'ai quelques relations ? Aussi ai-je déjà pris toutes mes dispositions. Si tu ne m'as pas remis l'argent à l'heure dite, deux de mes excellents amis, dont la parole ne pourra être mise en doute puisqu'ils ont l'honneur d'appartenir à la police des mœurs, iront gentiment au SHAPE informer le chef hiérarchique de ton fiancé — je peux même te dire que c'est un vice-amiral — sur tes véritables activités depuis quatre années.

— Sans doute parleront-ils aussi des tiennes ?

— Je ne compte pas, moi ! Je ne suis qu'un paisible bourgeois qui habite dans un bel appartement bien à lui, rue de la Faisanderie, qu'il a payé « de ses bons deniers » et qui a bien voulu consentir, par charité, à t'héberger pour que tu ne sois pas à la rue ou sur le trottoir...

— Dieu te punira, Bob !

— Dieu ? S'il existe, il doit aimer d'abord les gens intelligents ! Et tu as tort de Le mêler à nos petites affaires. Il doit avoir à s'occuper de tellement de choses plus intéressantes ! Ce dont tu peux être certaine, c'est que les événements se dérouleront exactement comme je te les prédis, même si, entre-temps, il m'arrivait un ennui... Je vois très bien la scène telle qu'elle se passera au grand Etat-Major du SHAPE. « Ton » James sera convoqué chez le vice-amiral qui lui dira, pendant que le pauvre amoureux restera figé au garde-à-vous : « Commodore, vous ne pouvez pas épouser cette personne. Ce n'est qu'une fille ! » Ça fera beaucoup d'effet... Je m'imagine mal le Commodore décidé à passer outre, donnant sa démission et cœtera, pour une fille !...

— Et si je te tuais ?

— Tu serais encore moins avancée ! Tu irais

d'abord en prison pendant un bon bout de temps. Ce qui aurait pour résultat de reculer nettement tes épousailles... Peut-être serais-tu finalement acquittée, mais ça ferait tellement de bruit que j'ai tout lieu de craindre que le brillant Commodore hésiterait encore plus à te donner son nom ! Crois-moi : la meilleure solution, c'est de m'apporter l'argent toi-même ici, à l'heure dite. J'ai bien dit : toi-même ! Il ne saurait être question pour moi de rencontrer ton futur mari... Il ne doit pas en avoir plus envie que moi ! Et ce genre de réunion de famille serait d'assez mauvais goût. Voilà, ma petite Agnès ! Tu t'en tires à bon compte.

— Qu'est-ce qui me prouvera, en admettant que je parvienne à trouver l'argent, que tu me laisseras tranquille après, et que tu ne continueras pas ton odieux chantage ?

— Tu ne m'as pas l'air de très bien savoir ce que vaut une parole donnée dans le Milieu ? Vois-tu, mon petit, c'est une chose sacrée ! Je veux bien cependant, si cela peut te tranquilliser tout à fait, et contre remise de l'argent, rédiger un petit mot dans lequel j'attesterai « sur mon honneur d'homme »...

— Ton honneur ?

— Parfaitement : « Mon honneur » ! J'attesterai que tu n'as été pour moi qu'une camarade que je me suis fait un devoir de loger un certain temps parce qu'elle ne trouvait pas d'appartement et que tu ne me dois absolument rien, ayant payé intégralement la sous-location de la chambre que tu occupais. C'est une formule. Avoue que je suis brave type ?

— Je vais réfléchir.

— Tu as raison ; de la réflexion jaillit la lumière ! C'est ce que j'ai fait moi-même pendant que je t'attendais tout à l'heure. Si je n'avais pas agi ainsi, j'aurais pu crier, tempêter, te flanquer une raclée même... Mais à quoi cela aurait-il abouti ? Mieux valait la solution amiable.

— Tu te crois très fort. Bon ! Il y a cependant une personne que tu crains : James !

— Ça m'étonnerait ! Tu sais, les Américains...

— Tu as peur de lui parce que c'est un honnête homme et un homme fort, qui n'hésitera pas, s'il juge que c'est nécessaire, à t'abattre comme un chien !

— Il ne bougera pas... pour deux raisons : d'abord, tu ne lui diras jamais ce que tu as été ! Ensuite, tu le respectes trop pour lui permettre de se — disons le mot ! — « prostituer » dans une « explication » avec un type de mon genre... Ma belle, nous n'avons plus rien à nous dire. Je te laisse le champ libre jusqu'à demain. Je ne reviendrai qu'à trois heures précises pour le paiement... Bien entendu, une fois tout réglé, tu pourras emporter toutes tes affaires personnelles. Je parle de tes vêtements et de ton linge. Tu n'auras qu'à empiler le tout dans ta voiture que je te laisse.

— Tu es vraiment trop bon !

— Je t'ai toujours dit qu'elle t'appartenait. Et tu videras immédiatement les lieux pour ne jamais y revenir !

— La « nouvelle » arrivera quand ?

— Le soir même, chérie ! Je n'ai pas de temps à perdre et elle est si pressée, cette jolie, de vivre avec moi ! A demain !

Une fois encore, Agnès regarda partir la *Chevrolet*. Contrairement à ce qui s'était toujours produit pour elle après chacune des menaces de M. Bob elle resta calme. Elle savait cependant qu'elle ne pourrait rien avouer à James et qu'elle ne trouverait pas l'argent. Il ne lui restait plus qu'une issue, à laquelle elle aurait dû recourir depuis des mois déjà ; se tuer.

Elle le ferait ce soir même, après avoir écrit une lettre d'adieu à son fiancé.

Toujours calme, elle prit place devant une petite table. Elle commença la lettre : « Mon amour... » Mais, après ces deux mots qui résumaient tout, sa main fut comme paralysée. Le stylo refusait d'aller plus loin parce que la voix très douce, qu'elle avait tant de fois entendue aux moments désespérés, murmurait :

« *Pourquoi m'oublies-tu encore, Agnès ? En ce moment, plus qu'à tout autre, je suis auprès de toi par la prière... Viens ! Dis-moi enfin ce que tu n'as pas eu le courage de me confier le matin où j'étais si inquiète ? Je t'attends...* »

Agnès froissa la feuille de papier inutile et se leva.

Quelques minutes plus tard, elle roulait vers l'avenue du Maine, sachant que, cette fois, elle avouerait tout à sa jumelle. Seule, la servante des Pauvres pourrait l'aider à sauver son amour.

DIEU EST AMOUR

Elisabeth écouta Agnès pendant plus de deux heures. Quand elles quittèrent le parloir, la petite Sœur dit à sa jumelle :

— Maintenant viens à la Chapelle implorer le pardon de Dieu.

Une fois encore, elles se retrouvaient, toutes les deux, pour prier.

Agnès n'était qu'une effusion de repentir :

« *Seigneur, je sais que je ne devrais pas avoir assez du reste de ma vie pour expier les années que je viens de vivre en méprisant toute morale divine ou même humaine. Je sais aussi qu'épouser un homme tel que James serait pour moi une faveur que je ne mérite pas... Mais Vous, Dieu qui n'êtes qu'amour, pouvez-Vous me refuser un rachat par l'amour lui-même ?* »

La prière d'Elisabeth ne s'inspirait que d'obéissance : « *Mon Seigneur, je n'ai pas le droit de faire de reproches à ma petite Agnès puisque c'est Vous seul* qui avez voulu que je l'aide à supporter, comme l'a fait Simon pendant votre montée au Calvaire, une croix d'ignominie... Mais, depuis des années que je suis votre épouse, j'ai appris à connaître votre clémence : si j'ai déjà pardonné à ma sœur, c'est parce que je savais que Vous l'aviez fait avant moi... Je Vous écoute, Seigneur : Vous seul saurez me dire comment je dois agir pour lui permettre de revenir dans le chemin de la vraie vie. Je suis toujours prête, s'il le fallait, à me sacrifier pour elle. Guidez-moi, inspirez-moi, Seigneur ! Et qu'en toutes choses, Votre volonté soit faite... »

A peine voyaient-elles, dans leur ferveur, l'animation qui régnait dans la chapelle. L'équipe des « terribles » édifiait des échafaudages derrière l'autel sous la direction du *Cavalier* qui devait se souvenir qu'à Saumur tout marchait à la cravache :

— Que font-ils donc ? demanda Agnès à voix basse.

— Ils commencent les préparatifs pour la décoration de la chapelle, à l'intention de ton mariage.

— Ils ne se doutent pas que cette cérémonie n'aura pas lieu...

— Rien ne le prouve encore, ma chérie ! Dieu a fait beaucoup de plus grands miracles ! J'ai confiance.

Venant de la tribune, placée au fond de la chapelle, on entendait les plaintes hésitantes d'un harmonium :

— Le chef de notre chorale, Melchior de Saint-Paumier, a estimé qu'un si beau mariage ne pouvait s'agrémenter d'un harmonium trop asthmatique ! Il le fait accorder par un autre de nos pensionnaires qui est aveugle et dont c'est le métier. Rassure-toi : dans trois jours, l'harmonium jouera juste... Tout sera juste !

— Ces efforts sont inutiles, maintenant ! Pourquoi ne pas leur dire ?

— Si la cérémonie qu'ils attendent n'avait pas lieu, ce serait pire qu'un drame pour tous ces vieillards qui t'aiment et qui ont adopté d'emblée ton fiancé : ce serait un deuil...

Quand elles furent dans la cour, Melchior de Saint-Paumier, qui les avait aperçues agenouillées, du haut de la tribune d'où il s'apprêtait à répandre, dans trois jours, sur l'assistance, des flots d'harmonie sacrée, vint les rejoindre.

— Je viens de descendre quatre à quatre l'escalier de la tribune pour demander à Mademoiselle — il saluait Agnès — son avis sur un point très important. Le Commandant, son futur époux, s'est montré tellement cordial avec nous que nous voudrions lui réserver une surprise... Mademoiselle Agnès, me promettez-vous de ne pas la lui révéler ?

— C'est juré ! dit Agnès en essayant de sourire.

— Voilà : quand vous ressortirez de la chapelle, mariés, la chorale sera ici devant la porte pour vous accueillir en chantant le seul hymne américain qui puisse vaguement rivaliser avec notre vieille *Marseillaise* : l'hymne de Souza ! Qu'est-ce que vous en pensez ?

Agnès, très émue, était incapable de répondre. Elisabeth vint à son aide :

— C'est une excellente idée ! Elle ne m'étonne pas de vous, Maestro !

— J'ai longuement réfléchi au choix de l'œuvre et je me suis dit que, pour un officier, cet hymne serait encore ce qu'il y aurait de plus martial ! Il offre aussi l'avantage de pouvoir être chanté à pleine voix, ce qui évitera de trop entendre détonner les voix fausses ! Elles sont nombreuses, hélas ! Spécialement chez ces dames ! Nous avons déjà répété plusieurs fois : eh bien, ça va à peu près ! La plus grosse difficulté, c'est de leur faire apprendre par cœur les paroles en anglais...

— Parce que ce sera en anglais ? demanda Agnès stupéfaite.

— Vous ne voudriez tout de même pas que nous fissions à un brillant Commodore de la Marine américaine l'affront de lui chanter cet hymne en français ?

Et, après avoir rejeté sa chevelure en arrière dans le geste qui lui donnait l'impression de s'imposer à ce qu'il appelait « les foules ignares », Melchior ajouta :

— Si nous étions accueillis dans son pays, nous serions très flattés que l'on nous y chantât *Sambre-et-Meuse* en français !

— Mais comment avez-vous pu vous procurer ces paroles anglaises ? questionna Elisabeth intriguée.

— Ça sert d'avoir été un artiste en renom ! Tout le monde me connaît encore dans le quartier Saint-Martin, celui de la chanson. Je n'ai eu qu'à paraître et ils se sont mis en quatre pour me satisfaire ! Je n'ai trouvé qu'un seul exemplaire de la Marche de Souza en anglais, édité à Londres chez Chapell en 1913... Il était dans un état ! « Monsieur Raymond » l'a recopié à la main en trente exemplaires : un pour chaque membre de la chorale. Les écritures, ça le connaît puisqu'il a été dans la Banque !

— Je remercierai aussi « Monsieur Raymond », dit Agnès.

— J'ignorais, M. de Saint-Paumier, que vous parliez l'anglais ? dit Elisabeth.

— Moi, ma Sœur ? Je n'en sais pas un traître mot ! Personne d'ailleurs ne le parle dans « ma » chorale ! N'oublions pas que nous appartenons tous à une génération qui eut la chance de voir la langue française universellement répandue. Aujourd'hui, elle s'est stupidement laissée détrôner par l'anglais ! C'est regrettable !

— Mais la prononciation, M. de Saint-Paumier ? Comment allez-vous pouvoir la donner à vos chanteurs si vous l'ignorez vous-même ?

— Dans le chant, ma Sœur, la prononciation n'a aucune espèce d'importance ! C'est la mélodie qui compte ! Et je vous garantis que celle du vieux Souza ne passe pas inaperçue ! Cependant Sœur Kate a bien voulu nous donner quelques conseils.

— Dans ce cas, conclut Elisabeth, je suis rassurée pour les oreilles de James. Ce sera parfait.

— Parfait, je ne sais pas ! répondit Melchior de Saint-Paumier. Mais ce sera beau !

Il s'éloigna, estimant sans doute que cette dernière affirmation se passait de commentaire.

Elisabeth attendit quelques secondes avant de demander à sa jumelle :

— T'es-tu réconciliée avec le Bon Dieu ?

— Je crois que oui...

— J'en suis sûre ! Il n'est pas aussi sévère que ceux qui l'ignorent le prétendent !... Tu vas passer la nuit ici.

— Oh ! Je le voudrais, mais est-ce possible ?

— Notre Très Révérende Mère Supérieure m'en donnera certainement l'autorisation... Je vais lui dire, ce qui est exact, je crois, que tu désires, avant ton mariage, faire une courte retraite au milieu de nous. Elle trouvera cela très bien. Je te préviens : nous n'avons pas de chambre privée. Tu seras obligée de dormir dans notre dortoir de Sœurs. Ce sera sans doute la dernière fois de notre vie que nous nous reposerons dans la même pièce, toi et moi ! Tu te souviens, autrefois ? Nous n'arrivions jamais à nous endormir si nous n'étions pas l'une à côté de l'autre !

— Merci de tout ce que tu fais pour moi, Elisabeth !

— Je n'ai encore rien fait... Mais cette nuit, je prierai saint Joseph et je suis certaine que demain matin, il aura trouvé le moyen de me transmettre la volonté de Dieu... Lui aussi, comme Melchior de Saint-Paumier, est un excellent diplomate ! Tu ne devais pas dîner avec James ce soir ?

— Non.

— Je préfère cela.

— Il me serait atroce de rentrer rue de la Faisanderie...

— Tu n'y songes pas ? Bien que ce triste individu t'ait dit qu'il n'y reviendrait que demain pour y recevoir ce qu'il appelle « l'amende », je me méfie ! J'aime mieux te garder sous notre protection. Personne ne viendra t'ennuyer ici et, si quelqu'un se le permettait, nous serions une véritable petite armée pour te défendre ! Tu ne connais pas nos vieux et nos vieilles : si on leur disait ce soir que leur grande amie Agnès, qui les a toujours gâtés à chaque fois qu'elle est venue leur rendre visite, court un grand danger, ils retrouveraient tous des forces insoupçonnées pour te défendre ! Et si vraiment ça allait très mal, je n'hésiterais pas à faire donner la brigade de choc, celle des « terribles », sous le commandement du *Cavalier*.

Une cloche venait de tinter.

— C'est l'heure du repas du soir, dit la petite Sœur. Tout le monde dîne très tôt chez nous : les vieux sont un peu comme les enfants, il leur faut beaucoup de repos. Viens au réfectoire.

Le réveil aussi eut lieu tôt.

En sortant de la messe matinale de communion, Elisabeth demanda à sa jumelle :

— Depuis combien de temps ne t'étais-tu pas approchée de la Sainte Table ?

— Depuis le jour où j'ai connu ce misérable.

— Dieu est bon de t'avoir tirée de ses griffes. Je puis te dire maintenant que saint Joseph a très bien rempli sa mission d'intermédiaire : il ne sera pas en pénitence aujourd'hui... C'est bien cet après-midi à trois heures qu'expire le délai fixé par « Monsieur Bob » ?

— Oui.

— Alors, écoute-moi...

Longtemps, elles marchèrent toutes deux dans le jardin. A l'inverse de ce qui s'était passé la veille au parloir, ce fut Elisabeth qui parla. Les derniers mots de la petite Sœur furent :

— Ta voiture est devant la porte ?

— Oui.

— Nous partirons donc ensemble à deux heures. Tu m'as bien comprise ?

— J'ai peur de ce que tu veux faire !

— J'ai l'impression que c'est la volonté de Dieu ! Jusqu'au moment du départ, tu vas rester avec moi et m'aider dans mon travail quotidien. Je ne changerai rien pour toi à mes habitudes. Commençons par monter à l'infirmerie des hommes. Cette matinée te donnera l'occasion de mieux connaître mes activités quotidiennes. Ainsi, quand tu seras à San Francisco, tu pourras te dire à certains moments : « A cette heure-ci, je sais ce que fait Elisabeth : elle soigne « les permanents », tout en essayant, de temps en temps, d'éblouir le père Constantin aux dominos en plaçant un splendide double-huit... » De ton côté, dès que tu auras organisé ton existence là-bas, tu m'enverras une longue lettre dans laquelle tu n'omettras aucun détail de ta journée, heure par heure. Comme cela, moi aussi — tout en m'occupant de mes vieux — je me dirai : « En ce moment, Agnès est en train de préparer le *breakfast*. Ensuite elle va aller faire des courses... » Peut-être pourrais-je même me dire un jour : « Elle doit faire réciter à son enfant sa prière du matin ? » Ne crois-tu pas que ce double courant de pensées, sur lequel l'éloignement ne peut rien, sera pour nous le meilleur moyen de rester en contact permanent ? Tes soucis seront les miens, mes prières seront les tiennes. Nous continuerons à être des jumelles... Allons à l'infirmerie.

Installé dans un grand fauteuil du living-room de la rue de la Faisanderie, M. Bob se sentait, malgré son flegme habituel, inquiet. Dès le matin, il s'était demandé s'il devait laisser Agnès arriver d'abord à leur rendez-vous fatidique tandis que lui ne paraîtrait qu'un petit moment après l'heure fixée — retard dont il n'était pas coutumier. Puis il s'était dit que la forte somme qu'il avait exigée pouvait ne pas se trouver si aisément, et que, même si elle était à portée de main, les intéressés pouvaient ne pas vouloir s'en délester sans murmure. Quel serait, là-dedans, le rôle de l'Américain ? Ce soldat, ce marin — qui nécessairement connaissait plus ou moins l'affaire, puisque c'était lui le bailleur de fonds — n'était-il pas capable d'employer la manière forte, et d'intervenir autrement qu'en se mettant à chanter ? M. Bob n'y croyait guère ; il faisait fond sur la crainte du scandale des Anglo-Saxons et sur le désir qu'avait Agnès de cacher jusqu'au bout à l'Américain ses mensonges et sa vie de fille. Il n'excluait pourtant point tout à fait l'hypothèse d'une intervention de James et il l'imaginait même entrant avec Agnès, la main droite dans la poche de sa vareuse, crispée sur un revolver, la gauche au bras de sa fiancée terrifiée. Bob avait même pensé se faire accompagner d'un ou deux compères, mais il aurait fallu lâcher à chacun un certain paquet de dollars ; et puis Bob aimait faire cavalier seul.

Tout bien pesé, il avait conclu qu'il n'avait guère à craindre de grabuge ; mais que, pour le cas où il y en aurait, mieux vaudrait se trouver le premier dans la place : on ne risquerait pas ainsi de tomber dans un traquenard, on aurait le temps de s'organiser, on verrait venir...

C'est ainsi que Bob s'était installé, une heure avant l'heure fixée, dans son grand fauteuil, son revolver en poche, bien chargé, les cigares et le whisky sur la table basse, devant ses genoux. Il était placé de manière à voir qui entrait dès que la porte bâillerait et, en cas de surprise, il aurait le réflexe qu'il faut : foudroyant ! Après tout, il pouvait se permettre d'accueillir chez lui des intrus menaçants en vidant sur eux le chargeur de son revolver. En justice, si l'on en arrivait là, ce ne serait qu'une affaire vénielle : presque une légitime défense.

Une heure d'attente paraît longue à un M. Bob habitué à voir ses femmes et tout le monde se plier à son bon plaisir. Il en ressentait du dépit qui, se mêlant à sa légère inquiétude, lui causait un certain malaise.

Il but coup sur coup deux whiskies. Cela lui rappela le soir de la mort de Suzanne : n'avaient-ils pas

aussi bu des whiskies ensemble, pour qu'elle mou-
rût sans s'en apercevoir ? Mais aujourd'hui la situation était tout à fait différente. C'est d'une autre
manière qu'il allait libérer Agnès, et, même temps,
se libérer d'elle — car il en avait assez de cette sucrée
qui n'avait pas le cran de garder son homme dans la
peau !

Trois heures moins dix : Bob se verse un dernier
whisky. Ce soir, à Enghien, quel déchaînement ! Toute la salle, le casino entier serait autour de lui !...

Trois heures moins cinq. Bob éteint son cigare. Le
revolver est là. Bob est tendu comme un ressort.

La pendulette sonne trois heures. Une clé tourne,
la porte s'ouvre sans précipitation...

Sœur Elisabeth entra, sans timidité, sans hardies-
se non plus, humble mais calme et sûre de soi, comme lorsqu'elle allait quêter pour les Pauvres. Elle
jeta un regard circulaire, indifférent, sur ce cadre
élégant où rien ne retint son attention. Enfin, elle
aperçut l'homme que sa position de guetteur tenait
d'abord hors du regard de l'arrivant. Elle le considé-
ra de ses yeux clairs, immobile et sereine, les mains
jointes.

L'homme, les yeux exorbités, paraissait chercher à
comprendre... Une bonne Sœur, ici ! Et cette bonne
Sœur... Agnès ! Pas question d'Américain, ni de police : une bonne Sœur !... Et la bonne Sœur, oui, c'est
bien elle, c'est cette garce d'Agnès !...

La colère lui rendit les esprits et la parole.

— Qu'est-ce que c'est ? gronda-t-il. Pourquoi cette mascarade ?

— Ce n'est pas une mascarade, répondit Elisabeth avec douceur.

Il voulut s'avancer, mais il restait paralysé encore par le costume qu'il voyait devant lui. Les lèvres tremblantes, il reprit :

— Tu es folle ?

— Je n'ai jamais été aussi lucide...

— De quel droit t'es-tu déguisée ainsi ?

— Ce n'est pas un déguisement. Je ne porterai jamais plus que cette robe.

— Tu te fiches de moi ?

— Ai-je l'air de me moquer de quelqu'un ? J'ai renoncé au monde, et le monde ne saurait avoir de prise sur moi.

Vraie ou fausse, cette religieuse continuait à impressionner M. Bob. Il se dégageait d'elle une pureté qui décontenançait le souteneur. C'était Agnès, bien sûr, mais comme elle était loin déjà de l'Agnès qu'il avait laissée vingt-quatre heures auparavant ! Etait-ce la blancheur du bonnet qui faisait paraître le visage qu'il enserrait plus émacié, plus diaphane ? Bob eut ce mouvement d'effroi qu'un blasphémateur ressent parfois devant quelque chose de sacré. Mais il réagit aussitôt :

— Ecoute, Agnès, ça suffit ! Enlève-moi cette défroque : tu es ridicule !

— Cette robe est celle de la servante des Pauvres, qu'elle revêt quand elle a épousé Jésus.

— Ah ! ce n'est plus l'Américain, c'est Jésus que tu épouses ?

— Jésus, répondit-elle avec un sourire extatique.

— Jésus ? Et pourquoi pas Dieu le Père, pendant que tu y es ?

— Je l'ai épousé aussi... J'appartiens entièrement à Dieu. Et vous ne pouvez rien sur moi ! Cet habit est celui que portent toutes les Sœurs de ma Communauté.

— Elles sont nombreuses, les Sœurs de ton espèce ?

— Nous sommes plusieurs milliers...

— Rien que cela ! Des repenties, sans doute ? Et toutes mariées avec Dieu ? Mais, ma parole, il a un harem, ton fameux époux ! Il n'y a pas un gars du Milieu qui lui arrive à la cheville !

— Oh ! là, vous avez raison !

— C'est un as !

— Comme vous le dites : un as...

— Et il trouve le temps de toutes vous surveiller ?

— Il n'a pas besoin de le faire. Notre obéissance est volontaire : nous l'aimons...

— Il vous « protège », lui aussi ?

— Il nous protège en effet.

— Et ça s'appelle comment, ta fameuse « Communauté » ?

— Celles des Pauvres... Même les gens qui n'ont aucune religion, qui ne croient à rien, qui sont durs en tout, respectent l'uniforme des Petites Sœurs des Pauvres.

— Les Petites Sœurs... Eh bien je vais te dire une

bonne chose, ma fille : tu t'es assez moquée des nonnes en t'affublant de leur costume ! Quand on est putain, on le reste ! C'est pourquoi je vais leur rendre service, aux vraies petites Sœurs, en les débarrassant d'une recrue de ton genre ! C'est comme si moi, je m'habillais en curé pour aller à Enghien ! On peut tout faire mais pas ça !

Les lueurs d'acier de son regard dur se mêlaient, l'ivresse aidant, d'étincelles de folie. Il avança les mains pour saisir cette forme noire, mais elles retombèrent le long de son corps.

Elle joignit les mains dans un geste de prière ; il vit le chapelet qui les entourait comme s'il les enchaînait.

— Seigneur ! Ayez pitié de ce malheureux, murmura-t-elle.

— Pitié ! rugit le souteneur. Je n'ai pas besoin de ta pitié, imbécile ! Un mot comme celui-là me met hors de moi. Tu sais que je peux te briser, t'anéantir si je veux...

— Dieu seul peut disposer de la vie des créatures : Dieu, notre créateur.

— Ça va durer longtemps, cette comédie ? hurla Bob exaspéré. Je n'en suis pas dupe. Je te donne trente secondes pour enlever ce costume, sinon c'est moi qui vais te le retirer, et en vitesse !

Devant ce forcené dont les yeux lançaient des éclairs, Elisabeth dressait sa calme stature, levait des mains apaisantes.

— Vous ne bougerez pas, vous ne me toucherez pas.

— Je t'ai assez touchée, palpée, depuis trois ans, et des régiments de clients t'ont touchée et palpée aussi, et sur toutes les coutures ! Et ça s'habille en nonne pour se refaire une virginité ! Vierge et Martyre, peut-être ?

Cet assaut de grossière vulgarité fit chanceler Elisabeth.

— Ce serait le plus beau destin qui pourrait m'arriver.

L'homme furieux continuait de ricaner vulgairement.

— Aucun risque de ce côté, avec la vie que tu as menée ! Tu as l'intention de continuer à faire des clients, habillée ainsi ?

Elisabeth recevait ces coups en blémissant.

— Vous blasphémez, dit-elle, d'une voix de détresse.

— Oh ! ça prendrait peut-être avec des vicieux ! Madame s'était déjà coupé les cheveux. Madame ne se maquillait déjà plus ! C'était du vice ! Eh bien, moi aussi, tu m'excites, dans cet habit. Pour une fois, moi qui n'ai rien d'un compliqué, j'ai envie de goûter aux plaisirs sacrilèges...

Il s'avança, la bouche tordue par un sourire bestial.

— Ne me touchez pas ! dit Elisabeth d'une voix étranglée par l'épouvante.

— Madame fait la dégoûtée ? Madame aurait-elle oublié les caresses de son Bob ? Allons, assez de grimaces : au lit, ma jolie ! Tu sais bien que personne ne t'a jamais fait gémir de plaisir comme moi. Il n'y

a que ça que vous compreniez, vous autres, les filles...
Viens coucher !

Il saisit les mains jointes de la petite Sœur, en
arracha le rosaire qu'il jeta à terre, et la traîna vers
la chambre, vers le lit.

— Oui, ma toute belle... Tu verras tout à l'heure
comme tu seras calmée ! Tu en redemanderas ! Et,
je vais te dire, tu m'excites de plus en plus, avec ce
costume. J'ai une furieuse envie de t'aimer en nonne !

Porte Dauphine, au *Sully,* Agnès attendait...

Elle avait fait exactement ce que lui avait demandé
Elisabeth quand elle lui avait exposé son plan dans
le jardin de l'avenue du Maine. Un plan qui, au début, lui avait paru insensé mais auquel elle avait
fini par se rallier devant les arguments de la petite
Sœur :

— Le seul moyen de te débarrasser définitivement
de cet homme est que je me substitue à toi... Tu
m'as bien dit qu'il ignorait absolument mon existence ?

— Oui. Souvent, quand je croyais l'aimer, j'ai eu
envie de la lui révéler mais, à chaque fois, une voix
secrète m'interdisait de le faire.

— La voix de Dieu... C'est la seule lueur de bon
sens que tu aies eue au milieu de toute cette folie
dans laquelle tu as vécu. A l'exception de James,
existe-t-il une autre personne à qui tu as parlé de
moi ?

— Non. Pas même à la petite Jeanine.

— Cette fille qui t'a prouvé qu'elle avait du cœur ?

— Oui.

— Donc cet après-midi, nous partirons ensemble. Y a-t-il, près de ton domicile, un café ou même un bar — puisque malheureusement tu es devenue une habituée de ce genre d'établissement — que « Monsieur Bob » ne fréquente pas et où tu pourrais aller m'attendre pendant une demi-heure ?

— Il y a le *Sully*, Porte Dauphine où je n'ai guère été et qui a bonne réputation.

— Tu y laisseras ta voiture pour que l'homme ne puisse pas la repérer, ni se douter que tu es là. Tu as naturellement une clef de l'appartement rue de la Faisanderie ?

— Oui.

— Nous arriverons une bonne demi-heure avant le rendez-vous qu'il t'a fixé. Tu ne penses pas qu'il pourrait être déjà là ?

— Certainement pas. Il est inquiétant d'exactitude : s'il a dit trois heures, sa propre clef tournera dans la serrure à trois heures précises. Pas avant !

— Dès que tu m'auras ouvert, je rentrerai dans l'appartement et tu repartiras m'attendre au *Sully*.

— Et que feras-tu ?

— Je recevrai « Monsieur Bob » à l'heure prévue. Comme il ne sait pas que tu as une jumelle, il me prendra pour toi... Ne t'inquiète pas : je bénéficierai d'un effet de surprise certain : il sera stupéfait de « te » voir habillée en religieuse. Et je lui dirai calmement que je renonce au monde et à ses œuvres pour consacrer le reste de mon existence aux pauvres. Si ç'est un mensonge, que Dieu me le pardonne... mais, ajouta-t-elle d'un air inspiré, je ne crois pas mentir...

Agnès, angoissée, joignit les mains comme le faisait Elisabeth.

— C'est Satan que tu vas affronter, dit-elle.

— Avec la grâce de Dieu...

Elles avaient dormi dans deux lits voisins, elles avaient entendu la messe côte à côte. Ensemble elles étaient allées à la Sainte-Table. Quelles que fussent ses craintes pour Elisabeth, Agnès gardait pourtant la grave sérénité que le couvent confère à celles qui ont choisi d'y passer leur vie : elle-même s'en remettait à Dieu, vers qui elle était revenue, et à Elisabeth dont la sainteté pouvait opérer un miracle. Cette entreprise qui lui eût semblé folle ou puérile deux jours auparavant, ne l'épouvantait pas. Elle se sentait subjuguée par une volonté plus haute que la sienne. A peine pensait-elle à James comme à un objectif lointain et accessoire ; l'essentiel était de vaincre le mal. Elle s'était donc inclinée devant la certitude qui animait la Petite Sœur et s'était prêtée à la pieuse comédie qu'elle avait décidé de jouer

— Je suis convaincue, avait conclu celle-ci, que tu me verras revenir au *Sully* au bout d'une toute petite demi-heure. Ensuite nous irons, toutes les deux, voir James au SHAPE.

Dès qu'elle fut partie, Agnès s'affola. Dans quel abîme n'avait-elle pas entraîné sa jumelle ? Elle ferma les yeux et se mit à prier mentalement avec ferveur. Elle s'interdisait de penser. Elle se mettait dans les mains de Dieu... Jésus... Elisabeth... Plus rien d'autre au monde. Jésus... Elisabeth...

La demi-heure s'était écoulée sans que la Petite Sœur ait reparu. Les minutes qui s'ajoutaient maintenant les unes aux autres, mettaient Agnès à la torture. Un nouveau quart d'heure passa : c'était donc signe que les choses n'allaient pas toutes seules et qu'Elisabeth avait eu tort, dans sa candeur de Sainte, de penser vaincre le démon. Agnès sentit l'étendue de leur imprudence : elle s'en voulait amèrement d'avoir accepté que sa jumelle tentât l'étrange aventure. Plus elle y réfléchissait et plus elle se rendait compte que c'était pire qu'une folie : de l'aberration ! Croire qu'un M. Bob se laisserait impressionner par l'humble robe d'une Petite Sœur des Pauvres !

Une heure était passée.

Agnès quitta le *Sully* en courant pour aller rue de la Faisanderie. Elle sentait que son intervention était plus qu'urgente, qu'elle devait voler à son secours... Arrivée sur le palier de l'appartement, elle écouta, l'oreille contre la porte : rien... Aucun bruit de l'intérieur. Agnès introduisit sa clef, ouvrit doucement. Il n'y avait personne dans le living-room, mais le regard d'Agnès se fixa sur un objet traînant sur le tapis : le rosaire d'Elisabeth. Chancelant, elle le ramassa, comme une relique. La porte de communication avec la chambre était fermée : là encore, Agnès écouta. Silence... Secouée d'un tremblement, elle ouvrit et resta hagarde, collée au chambranle, sans comprendre d'abord ce qu'elle voyait. Puis l'évidence s'imposa : là, devant elle, allongée en travers du lit, les yeux exorbités regardant fixement le plafond, Elisabeth était gisante... Agnès approcha ses mains du visage qu'elle effleura, écarta le bonnet blanc, le châle noir... Elle tomba à genoux, glacée d'horreur. Agnès trouva encore la force de se pencher contre la poitrine : le cœur ne battait plus. La robe, tout le vêtement semblaient intacts.

— Ce n'est pas vrai ? murmura Agnès effondrée devant le lit. Ses larmes inondaient l'humble robe de la morte pendant que ses mains serraient convulsivement celles, déjà refroidies, de sa jumelle. Ce n'est pas vrai ? répétait-elle dans ses sanglots, ne pouvant pas trouver d'autres mots.

Elle ne tenta pas de reconstituer le détail de la scène : c'eût été mêler un Bob à la pure figure d'Elisabeth sur qui le démon ne pouvait avoir eu prise. L'épouse du Christ était demeurée l'épouse du Christ, et son âme était entrée dans la gloire...

Agnès pria longtemps. Un calme étrange descendait en elle. Enfin réconfortée, elle eut la force de penser à ce qui restait ici-bas, de regarder froidement autour d'elle.

Le désordre qui régnait dans la pièce prouvait que M. Bob s'était affolé devant cette mort et qu'il s'était enfui sans essayer de faire une mise en scène. Le crime était évident. On ne s'étrangle pas soi-même. L'homme qui calculait tout, qui savait mettre toutes les chances de son côté, avait, dans cette circonstance, perdu son calme. Tout le dénonçait comme étant le meurtrier, et sa fuite plus que tout le reste.

Agnès s'agenouilla de nouveau près du lit pour

demander à Dieu aide et inspiration. C'était moins à sa sœur qu'elle pensait maintenant qu'à tout ce qui avait constitué sa vie. Elle mesurait le drame humain et social au scandale aussi que constitue l'assassinat d'une très modeste Petite Sœur des Pauvres, qui s'était cependant appliquée, pendant son court passage sur terre, à se faire remarquer le moins possible en s'effaçant derrière « ses » vieillards... Qu'allaient-ils devenir, ces vieux pour qui la petite Sœur était à la fois le dernier rayon de soleil d'ici-bas et l'espoir d'un monde meilleur ?

Mais ce n'était pas seulement les vieillards qui seraient affectés par cette disparition : c'était la Communauté même ! La Presse, toujours avide d'inédit dans l'horreur et dans le morbide, n'allait-elle pas s'emparer de ce fait divers hors série en étalant ce titre alléchant pour les foules : UNE PETITE SŒUR DES PAUVRES ETRANGLEE AU DOMICILE D'UN SOUTENEUR... Quel article à sensation ! Les gens se repaîtraient des détails, se vautreraient dans le scandale qui rejaillirait sur la Maison de l'avenue du Maine, qui éclabousserait l'Ordre religieux le plus émouvant qui fût... Les adversaires de l'Eglise n'avaient pas fini de ricaner. Agnès croyait déjà entendre leurs voix hostiles : « Vous voyez bien que ce ne sont pas des Saintes, ces nonnes ! Sous leurs vêtements hypocrites, ce sont des femmes parfois pires que les autres ! N'allez surtout pas nous dire que cette Sœur Elisabeth a été étranglée gratuitement par le souteneur. Qu'est-ce qu'elle allait faire chez lui ? S'il l'a tuée, c'est uniquement pour un règlement de compte... Il devait être son amant ! C'est à lui qu'elle rapportait l'argent des quêtes ! »... Non, il n'était pas possible de laisser éclater pareil scandale.

Agnès comprit qu'il fallait à tout prix l'éviter, que c'était son premier devoir, que, pour y parvenir, il fallait agir immédiatement.

Mue par une étrange énergie, elle se mit à l'œuvre. C'était comme si la voix secrète et douce, qui tant de fois l'avait aidée dans sa détresse, était encore en train de l'inspirer : « Tu ne te trompes pas, Agnès... Tout ce que tu vas faire est nécessaire. Tu me le dois : je t'ai sauvée par mon sacrifice. Ton tour est venu... »

Et Agnès se mit au travail... Un étrange travail de vivante.

Elle commença par ouvrir un tiroir où elle prit une paire de gants très fins dont elle recouvrit ses propres mains pour que ses empreintes ne pussent pas se superposer à celles du tueur... Puis, avec une froide application, elle déshabilla sa jumelle... Quand le corps fut nu, elle s'agenouilla devant le cadavre en murmurant :

— Pardonne-moi ce que je vais faire, petite Sœur.

Lorsqu'elle ôta le bonnet entourant la tête, elle eut un instant d'émotion en retrouvant les cheveux coupés de sa jumelle. Et elle comprit en un éclair que le jour où elle avait elle-même sacrifié ses boucles d'or, elle avait accompli le premier geste qui la rapprochait de la Petite Sœur, et de l'œuvre à laquelle elle donnait la première main. Dans l'une et l'autre circonstance sa volonté avait été dirigée par une force supérieure à la sienne. Elle comprit que l'acheminement vers la ressemblance physique n'avait été que le premier pas pour l'amener à la ressemblance morale. Elle comprit enfin que la clémence de Dieu ne l'avait jamais complètement abandonnée.

Elle choisit l'un de ses tailleurs dont elle vêtit Elisabeth : un tailleur qu'elle mettait pour se rendre avenue du Maine et dont la petite Sœur avait dit :

— De tout ce que tu portes, c'est encore ce tailleur noir que je préfère !

Qui sait si la petite Sœur n'avait pas pensé alors à la religieuse qu'Agnès aurait pu être si Dieu l'avait élue elle aussi ?

Il allait très bien, ce tailleur ; les deux silhouettes n'étaient-elles pas restées toujours les mêmes ? Tout ce qu'avait porté Agnès, Elisabeth aurait pu l'utiliser. L'inverse aussi était vrai. La preuve en fut qu'après s'être déshabillée, Agnès endossa les humbles vêtements de sa jumelle. Bientôt il n'y eut plus, dans le secret de la chambre silencieuse qu'une religieuse semblant veiller une fille morte...

Combien de temps avait duré ce « travail » ? Trois quarts d'heure... peut-être plus ? Peu importerait à l'avenir le temps ! La substitution de la morte à la vivante et de la vivante à la morte était complète, parfaite, définitive. Le visage d'Agnès, encerclé maintenant par le bonnet blanc, était irradié de paix.

Une dernière fois, elle alla se regarder dans un miroir et elle comprit, dans un frémissement, qu'elle aussi venait de dire adieu au monde. Plus jamais elle ne porterait d'autre vêtement. Le sacrifice d'Elisabeth ne serait pas inutile : sa jumelle se sentait déjà prête à assurer la relève.

Toujours avec le même calme, la fausse Sœur Elisabeth retourna dans la penderie pour prendre dans le carton à chapeau, où elle l'avait cachée, la lettre déjà rédigée à l'intention du Procureur de la République. Elle la brûla : la plainte contre M. Bob ne serait plus nécessaire.

Elle revint dans le living-room où elle décrocha le téléphone :

— Police-secours ? Venez vite ! Un crime a été commis rue de la Faisanderie, numéro... au troisième étage...

Agnès n'avait plus qu'à attendre : elle le fit agenouillée devant le lit, en égrenant le rosaire brisé qu'elle avait ramassé sur le tapis. Entre chaque dizaine, elle répétait :

— Petite sœur, fais-toi maintenant mon intermédiaire auprès de Dieu pour qu'il m'accorde la grâce de te ressembler en tout !

Le car de Police-Secours arriva rapidement. Au premier groupe d'agents qu'il déversa, succédèrent les voitures de la Brigade Criminelle. Il n'y eut pas un inspecteur, pas un policier qui ne fût stupéfait de se trouver en présence de cette Petite Sœur des Pauvres veillant le corps de sa jumelle assassinée. A l'étonnement succédait le respect.

Agnès avait décliné son identité :

— Sœur Elisabeth... J'appartiens au couvent de l'avenue du Maine...

Les vérifications furent faciles : la nouvelle de la mort d'Agnès se répandit dans la grande Maison des Pauvres où ce fut un bouleversement. Etait-il possible que celle, dont tous s'appprêtaient à célébrer deux jours plus tard le mariage avec le Commodore, disparût ainsi à la veille de ses noces ? Sauf la Supérieure, tout le monde ignora les circonstances du drame : on ne lisait pour ainsi dire point les journaux et les crimes crapuleux n'étaient point l'objet de l'attention des Sœurs ni de leurs pensionnaires.

Rue de la Faisanderie, l'enquête se poursuivait :

— Pouvez-vous nous dire, ma Sœur comment les choses se sont passées ?

— Je n'ai rien vu, Monsieur l'Inspecteur ! Quand je suis arrivée, j'ai trouvé ma pauvre sœur comme vous l'avez trouvée vous-même.

— Vous aviez rendez-vous avec elle ?

— Oui. Pour régler les derniers détails de la cérémonie qui devait avoir lieu après-demain dans notre chapelle.

Elle révéla tout ce qu'elle pouvait dire, rien de plus. Ils apprirent ainsi les fiançailles et le mariage imminent avec l'officier américain.

— Vous avez une clef de cet appartement, ma Sœur ?

— Non. Je n'y suis même jamais venue auparavant. Il a fallu la circonstance de son mariage...

— Qui vous a ouvert la porte quand vous avez sonné ?

— Personne... et je n'ai pas eu à sonner ; la porte était entrouverte. C'est ce qui m'a d'abord intriguée... Je n'ai eu qu'à la pousser. Il n'y avait ici qu'Agnès.

— Dans sa précipitation pour fuir, l'assassin n'aura même pas pris le temps de refermer la porte derrière lui... Auriez-vous ma Sœur, une idée quelconque sur l'identité du criminel ?

— Oui...

Cette réponse catégorique fut suivie d'un silence.

— Parlez, ma Sœur. Dites-nous bien tout ce que vous savez.

Et la fausse Sœur Elisabeth raconta la visite que « la défunte Agnès » lui avait faite la veille au soir pour lui révéler l'existence d'un certain « Monsieur Bob » qu'elle avait complètement ignorée jusqu'à cet aveu.

Au fur et à mesure qu'elle parlait, l'Inspecteur prenait des notes. Quand elle eut fini, il conclut :

— Tout cela sent le règlement de comptes...

Puis il s'adressa à l'un de ses subalternes :

— Ils n'ont pas encore rappelé de l'Anthropométrie pour la vérification des empreintes relevées tout à l'heure ?

— Pas encore...

— Demandez-moi tout de suite le Service.

Il prit l'appareil téléphonique :

— Allô ? C'est toi, Duvray ? Regarde donc s'il n'y a rien dans le fichier spécial au sujet d'un certain Robert, dit « Monsieur Bob », qui se faisait aussi passer pour « Georges Vernier, import-export »... Rappelle-moi : je reste ici...

— Qu'est-ce donc que le « fichier spécial » ? demanda innocemment la petite servante des pauvres.

— Evidemment, ma Sœur, ce n'est pas votre rayon ! « Le fichier spécial » concerne tout spécialement le Milieu : il n'est pas mal fourni... Mais revenons au crime : en somme, vous auriez l'impression que ce Bob aurait étranglé votre jumelle parce qu'il était furieux de voir qu'elle allait lui échapper en épousant un Américain ?

— C'est cela, en effet...

— C'est plausible, mais ce n'est pas certain ! Si l'homme n'est pas un apprenti dans son métier — ce que j'ai tout lieu de penser — je ne crois pas qu'il aurait utilisé une pareille méthode ! Pourquoi aurait-il couru de tels risques ? Ces gens-là préfèrent agir en douce... Et ils ne laissent jamais de traces ! A moins qu'il n'ait été pris d'un accès de rage insensé ? Ce serait la seule explication... A votre avis, ma Sœur, votre jumelle était très amoureuse de son fiancé ?

— Elle était surtout une femme terrorisée par ce Bob et qui ne rêvait que d'échapper à son abominable emprise. Elle était à la veille d'y parvenir, par ce mariage avec l'officier américain.

— Je vois, le M. Bob aura tenté de faire du chantage. A moins qu'il n'ait voulu simplement punir votre sœur... Pourtant, la manière n'est pas habile... Avez-vous une photo de votre sœur, soit sur vous, soit au couvent ?

— Non.

— Evidemment, vous n'avez pas non plus de photo de son amant ?

— Ce mot est abominable, Monsieur l'Inspecteur !

— Je sais, ma Sœur. C'est cependant, d'après ce que vous venez de me raconter, ce qu'a été pour elle pendant trois années, ce M. Bob ! Je reconnais que ce doit être terrible de découvrir brutalement qu'une sœur jumelle, en qui on a mis toute sa confiance depuis la plus tendre enfance, vous a trompée !

— Agnès ne m'a jamais trompée... Si elle ne m'a rien dit plus tôt, c'est seulement parce qu'elle a eu peur de me faire beaucoup de peine.

— Evidemment... Il faut se mettre à sa place : ça ne devait pas être facile d'avouer une existence semblable à une religieuse qui était pour elle toute sa famille ! Le fait qu'elle s'y soit décidée enfin hier soir, à la toute dernière extrémité et quarante-huit heures avant son mariage, prouve qu'elle devait se sentir traquée par son « protecteur »... C'est bien dommage qu'elle n'ait pas trouvé le courage de vous parlé plus tôt, ma Sœur ! Cela aurait pu éviter bien des ennuis pour tout le monde, et spécialement pour vous !

— Oh ! moi, ça n'a aucune importance... Dans mon cœur, Agnès ne sera toujours qu'une victime.

— Vous avez beaucoup de chance, ma Sœur, d'avoir le réconfort de la religion ! Elle aide à tout supporter... Il est vrai aussi que vous avez dû voir tellement de misères autour de vous, parmi vos vieux...

La servante des pauvres baissa les yeux.

La sonnerie du téléphone venait de retentir. Il reprit l'appareil :

— Allô ? C'est moi, oui... J'écoute.

L'interlocuteur invisible parla longuement. Avant de raccrocher, l'inspecteur lui dit :

— Ça clarifie la situation... Merci.

Il s'était retourné vers la religieuse :

— Sans doute votre sœur ne vous avait-elle pas révélé le vrai nom du Monsieur ?

— Je crois qu'elle ne le connaissait que sous le prénom de Robert et les deux pseudonymes que je vous ai dit.

— Elle n'était vraiment pas curieuse, la pauvre petite ! Il se prénommait en effet Robert, et se nommait Mérel. Il est au fichier spécial. C'est un souteneur notoire. Il est fiché mais il n'a pas eu de condamnation officielle. Son casier judiciaire est donc vierge — ce qui ne veut pas dire que ce soit un ange, loin de là ! Je pense, ma Sœur que vous êtes dans le vrai...

— Comment cela ?

— Il est tout à fait vraisemblable que cet homme a étranglé votre sœur dans un accès de colère. C'est un récidiviste.

— Je ne comprends pas...

— On l'a toujours soupçonné chez nous d'en avoir fait autant avec une autre fille... Une certaine Suzanne que l'on a trouvée un matin, asphyxiée au gaz dans un meublé. Les prélèvements qui ont été faits à l'époque sur le cadavre ont prouvé que la fille était complètement ivre quand le gaz l'a asphyxiée. Il a dû attendre de l'avoir saoulée pour ouvrir le robinet...

— Pourquoi ne l'avez-vous pas arrêté à ce moment-là ?

— Deux raisons, ma Sœur. D'abord, il avait habilement préparé son affaire : les seules empreintes trouvées sur le robinet du chauffe-bain étaient celles de la fille. Ensuite... Oh ! Je peux bien vous le dire... Une bonne Sœur, c'est un peu comme un prêtre : ça sait se taire... Ce Bob nous a rendu pas mal de services comme indicateur... Il en faut bien, de ces types-là ! Si on les coffrait tous, il n'y aurait plus de police possible ! Au moment de ce crime, ils ont dû réfléchir en haut lieu et se dire qu'il valait mieux classer la disparition d'une fille dans la catégorie « suicides » plutôt que de perdre, par l'arrestation du dit Bob, le contrôle sur une organisation politique qui pouvait devenir gênante... Eh oui, ma Sœur ! Ce sont de ces petits mystères qui n'existent pas dans la Religion mais que l'on découvre quand même Quai des Orfèvres !

— Selon cette morale, Monsieur l'Inspecteur, un homme a le droit de tuer à condition qu'il soit un délateur ?

— Pardonnez-moi, ma Sœur, si mon langage vous a choquée.

— Comme vous me l'avez dit, Inspecteur, j'ai vu et entendu trop de misères humaines pour être choquée par quoi que ce soit.

— Rassurez-vous, ma Sœur ! Si le dénommé Bob a pu bénéficier d'un léger doute pour un premier meurtre, il n'en sera pas de même pour celui-ci. Je vous jure que votre sœur sera vengée !

— Le vêtement que je porte m'interdit de rechercher la vengeance. Tout criminel n'est qu'un malheureux qui devra rendre compte de ses actes à son Créateur mais je pense aussi qu'il est nécessaire que la Justice soit rendue dès ici-bas par les hommes, sinon les mauvais instincts se donneraient libre cours...

— Vos paroles sont sages, ma Sœur. Il s'agit maintenant de retrouver M. Bob. Il ne doit pas être bien loin, n'ayant pas encore eu le temps de partir à l'étranger... Depuis qu'on l'a repéré sur le fichier spécial, son signalement a aussitôt été donné à la Surveillance Générale du Territoire, pour les gares, les ports, les aérodromes, les frontières... Actuellement, il doit plutôt se cacher dans la région parisienne et attendre pour prendre le large, qu'on l'ait un peu oublié : c'est la tactique favorite de ces Messieurs... Tout dépend de l'argent qu'il peut avoir mis de côté. S'il en a, il peut se camoufler pendant des mois. S'il n'en a pas, il sortira de sa tanière.

— Il ne devait pas en avoir beaucoup ! remarqua la fausse Sœur Elisabeth. Sinon, il n'aurait pas exigé de ma pauvre Agnès une pareille somme pour lui permettre de se marier en toute tranquillité.

— Ça ne veut rien dire, ma Sœur ! Cette somme-là n'était qu'une amende : il l'a demandée par principe ! Et vous pouvez être certaine qu'il a déjà trouvé des complicités... « Ils » se tiennent entre eux !

Le mot « complicité » amena, dans le regard de la religieuse, une lueur que l'inspecteur ne fut pas sans remarquer :

— Auriez-vous une idée, ma Sœur ?

— C'est-à-dire que je me souviens seulement maintenant d'une confidence que m'a faite également hier Agnès.. Seulement je ne voudrais accuser personne...

— Quand il s'agit d'aider à retrouver un criminel, ma Sœur, il faut tout dire !

— Voilà, Monsieur l'Inspecteur : Agnès m'a laissé entendre que ce « Monsieur Bob » ferait... Comment s'est-elle exprimée ?... Ferait « travailler »... Oui, c'est bien là le mot ! Il est monstrueux, n'est-ce pas ?... Ferait « travailler » pour lui une autre femme...

— Ça ne m'étonnerait pas, et c'est très intéressant ! Si nous repérons la fille, nous remonterons jusqu'à lui.

— Je crois me souvenir que ma pauvre sœur m'a dit qu'elle se nommait Jeanine et qu'elle était brune...

— Elle a même été jusqu'à ce détail ?

— Oui... Cette pauvre fille avait pour Agnès de l'attachement. Elle aussi était une victime de M. Bob. Agnès m'a raconté comment elle avait rencontré, par le plus grand des hasards, cette Jeanine un jour où celle-ci conduisait sa voiture sur les Champs-Elysées.

— Parce qu'elle aurait une voiture ?

— Oui. Agnès a même précisé que cette voiture était rouge...

— Je m'excuse de vous poser une pareille question, mais votre sœur vous a-t-elle donné l'impression d'être assez liée avec cette fille ?

— Elle disait que c'était une bonne petite.

— Vous avez de ces expressions, ma Sœur ! Bonne petite...

— Je ne pense pas, Messieurs, que parce qu'une femme est tombée si bas, elle est obligatoirement mauvaise.

— Vous avez raison ; il y a un peu de tout dans le lot ! Revenons à cette Jeanine... Donc si votre sœur et elle étaient des amies, elles devaient bien se retrouver de temps en temps ailleurs que dans la rue ? Ici, peut-être ?

— Certainement pas ! Agnès m'a expliqué — ce qui d'ailleurs m'a surprise sur le moment — que cette fille ignorait absolument que son... comment a-t-elle dit ?

— « Protecteur » ?

— C'est bien cela... Ces mots sont épouvantables !... Enfin que cet homme était M. Bob. Elle l'appelait « Monsieur Fred ».

— Et votre sœur ne lui aurait rien dit pour... c'est encore un mot du Milieu, ma Sœur... pour « l'affranchir ? »

— Non.

— Bizarre ! Pourquoi votre sœur aurait-elle agi ainsi ?

— Je crois qu'elle craignait les bavardages de cette Jeanine... Agnès ne la trouvait pas très intelligente.

— En résumé, si je comprends bien, votre sœur Agnès savait que M. Bob vivait des recettes d'une autre femme qu'elle ? Et, bien qu'elle ait réussi à faire de cette autre fille une amie, elle ne lui a jamais dit la vérité ?

— Ce doit être à peu près cela...

— Eh bien, ma Sœur, c'est très important.

Il s'adressa à l'un de ses adjoints :

— File ! Tu as bien entendu ! Alerte d'abord la Brigade des Mœurs — spécialement les sections qui opèrent dans les VIIIᵉ, XVIᵉ et XVIIᵉ arrondissements : ce sont les parages où se manifestent ces dames en voiture. Dès que tu auras mis la main sur la fille, ramène-la ici. On t'attend. Fais vite !

L'homme parti, il se retourna vers la religieuse :

— Savez-vous, ma Sœur, que c'est très précieux, une mémoire comme la vôtre ?

Modeste, la fausse Elisabeth répondit :

— Il faut bien que nous en ayons une pour suppléer à celles, déficientes, de tous nos bons vieux...

— C'est une bien belle œuvre que la vôtre, ma Sœur !

— Justement, Monsieur l'Inspecteur, je suis affolée à l'idée que la Presse va s'emparer de ce crime et peut-être y mêler notre Institution, en racontant non seulement que la victime avait pour sœur jumelle une Petite Sœur des Pauvres, mais aussi qu'elle devait se marier dans notre humble chapelle après demain !

— Vous voyez bien que la Presse n'est pas là ! Et si jamais un journaliste se présentait, je le prierais de retourner là d'où il vient... Je crois en effet qu'il faudra la plus grande discrétion dans cette affaire. Les gens sont tellement méchants — et surtout si bêtes ! — qu'ils seraient capables de dire n'importe quoi qui pourrait rejaillir sur votre Ordre que le monde entier respecte... Si nous ne sommes pas tous des anges dans la Police, nous ne sommes pas non plus, des mécréants !

— Je suis certaine que vous avez tous beaucoup plus de cœur que vous ne voulez le montrer.

— Merci, ma petite Sœur... J'aime vous appeler ainsi : il n'y a vraiment qu'aux Petites Sœurs des Pauvres qu'on peut le dire !

Il regardait maintenant la morte :

— Ça doit quand même produire un étrange effet de voir son sosie dans cet état ! Vraiment, ma Sœur, vous pourrez dire que vous savez exactement comment vous serez quand arrivera votre tour...

— Oui.

— C'est formidable comme ressemblance ! Et le plus inouï de tout ce que vous a raconté cette pauvre victime, c'est bien qu'elle ait réussi à cacher votre existence à son amant ! Vous êtes bien sûre que ce soit vrai ?

— Monsieur l'Inspecteur, vous n'avez pas dû vous trouver souvent en présence de jumelles ? Sinon, vous sauriez qu'elles sont capables de garder entre elles des secrets... de vrais secrets. Ensuite, elle respectait assez l'habit que je porte pour ne pas parler de moi à un « Monsieur Bob » !

Il continuait à regarder la morte :

— Elle portait aussi les cheveux coupés ?

— C'était une mode qu'elle voulait suivre, m'a-t-elle dit.

— Vous au moins, ma Sœur, si vous coupez vos cheveux volontairement, ce n'est pas pour suivre une mode mais par esprit de sacrifice !... Je m'excuse maintenant de parler de certains détails pénibles mais il faudrait peut-être songer aux obsèques ?

La religieuse réfléchit un instant avant de répondre :

— Je vais demander à notre Très Révérende Mère Supérieure qu'elles aient lieu dans la chapelle de notre Maison, avenue du Maine. Je ne pense pas qu'elle me le refusera, puisqu'elle avait déjà accepté que ce soit là que se fît le mariage religieux, après-demain.

— Après-demain ? Je pense que vous pourrez conserver la même date...

— C'est horrible !

— Et... son fiancé ? Il faudrait le prévenir, ma Sœur ?

— Pauvre James ! C'est à moi d'assumer cette pénible mission.

— Et vous ne devriez pas tarder, ma Sœur ! Avez-vous une idée de l'endroit où il peut se trouver à cette heure ?

— Il doit être encore au SHAPE.

— A Marly ? Voulez-vous que je mette l'une de nos voitures à votre disposition ?

— Je vous en serais très reconnaissante...

Une nouvelle fois, la sonnerie du téléphone avait retenti :

— Oui, c'est moi, dit l'inspecteur après avoir pris l'écouteur.

Son visage s'éclaira pendant qu'il s'exclamait :

— Déjà ?... Bravo ! Voilà ce que j'appelle du bon travail ! Amène-là ici mais ne lui dis rien, surtout !...

Elle n'est pas contente ? Aucune importance... Explique-lui gentiment que c'est pour une simple vérification d'identité et qu'on lui rendra sa liberté dans une demi-heure avec de belles excuses !

En reposant l'appareil, il dit à la religieuse :

— Ça y est : ils ont mis la main sur la fille brune...

— Ils ne vont pas lui faire de mal ?

— Ce sont des agneaux, ma Sœur !

— Où l'ont-ils trouvée ?

— Au volant de sa voiture, au moment où elle sortait d'un bar de la rue Marbeuf dont le barman est l'un de nos indicateurs... Vous aviez raison, ma Sœur : elle a une voiture de sport rouge... Ils seront là dans quelques instants. Avez-vous l'impression que votre sœur, qui a su si bien garder le secret de votre existence à l'égard de son amant, en a fait autant avec cette fille ?

— Sûrement ! Agnès m'a dit hier qu'elle n'avait parlé de moi à personne d'autre qu'à son fiancé.

— Donc la Jeanine ignore que votre sœur avait une jumelle qui lui ressemblait trait pour trait, et que celle-ci était religieuse ?

— Vous pouvez en être certain.

— Alors, ma Sœur, je vais vous demander de bien vouloir vous cacher dans la cuisine jusqu'au moment où je viendrai vous chercher.

— Pourquoi ce mystère ?

— Pour obtenir un double choc psychologique sur la fille. Le premier, quand elle verra son « amie » étendue sur ce lit...

— Vos inspecteurs ne lui ont donc pas annoncé le drame au moment où ils l'ont arrêtée ?

— Mes hommes parlent peu... Le deuxième choc sera votre apparition. La fille croira devenir folle.. et elle avouera !

— Mais que pourrait-elle avouer, cette malheureuse ?

— Où se cache son protecteur... C'est tout ce que nous voulons d'elle.

— Croyez-vous qu'elle peut le savoir ?

— S'il n'avait que peu d'argent au moment de sa fuite, après le crime, la première chose qu'il a dû faire, c'est d'aller se réapprovisionner auprès de l'autre femme qui travaillait pour lui. Et comme elle ne devait pas encore avoir fait une grosse recette à cette heure, il a dû lui donner l'ordre d'en « mettre un bon coup » — c'est l'expression, ma Sœur — pour lui rapporter le plus vite possible le maximum d'argent dont il a besoin. Il lui a certainement fixé un endroit où elle devra le retrouver cette nuit pour lui remettre l'argent. Quand mes hommes ont intercepté la demoiselle, elle était en plein travail et s'apprêtait à emmener dans sa voiture un client ramassé au bar... Il se peut aussi que M. Bob ait demandé le même service à quelques-uns de ses confrères du Milieu, mais cela m'étonnerait : il doit se méfier d'eux, sachant qu'ils sont tous plus ou moins indicateurs de police comme lui... Attention !

Il venait de regarder par la fenêtre :

— Voilà la jeune personne qui descend, bien encadrée, de l'une de nos tractions. Je m'excuse encore, ma Sœur, de vous envoyer à la cuisine...

— Je dois vous obéir, Monsieur l'Inspecteur, puisqu'il faut que vous fassiez votre métier ! Mais les méthodes d'intimidation ou de surprise qui, je le sens, vont être employées pour faire parler cette malheureuse ne sont-elles pas en contradiction avec la charité chrétienne ?

— Hélas, ma petite Sœur ! Je le reconnais : ce ne sont que des méthodes de police. Mais, malheureusement, avec une certaine catégorie de créatures du Bon Dieu, il n'y a qu'elles pour donner des résultats !

Quand la fille brune fut introduite dans le living-room, elle était complètement ahurie. En quelques secondes, l'Inspecteur la jaugea et, comprenant qu'elle n'était pas du tout de la même lignée que la morte, il lui dit sans ménagement, en lui présentant un siège qu'il avait pris soin d'orienter de telle sorte que son occupante ne pût pas voir la porte de communication avec la chambre :

— Assois-toi...

— D'abord je vous interdis de me tutoyer ! Qui êtes-vous ?

— Tu veux peut-être que je te donne ma carte de visite ? Celles que t'ont présentées ces Messieurs, quand ils t'ont cueillie au turbin, ne te suffisent pas ?

La fille ne répondit pas.

— Donc c'est toi la dénommée Jeanine ?

— Ça vous gêne ?

— Pas le moins du monde ! Il y a longtemps que tu travailles pour Fred ?

Jeanine resta muette.

— Vas-tu répondre, oui ou non ?

— De quel droit m'interrogez-vous ici ? On n'est pas à la Préfecture ?

— Ecoute, mon petit, ne commence pas à le prendre sur ce ton-là, sinon on se chargera de te faire passer le goût des grands airs ! Réponds plutôt à ma question ?

— Je travaille pour moi seule et quand ça me plaît !

— Une artiste ! Je vois ça... Eh bien, puisque tu aimes les grands effets, je t'en ai réservé un qui va t'éblouir...

Il la prit par le poignet et l'entraîna vers la porte fermée de la chambre. Quand ils furent juste devant, il ouvrit brusquement en disant, après avoir désigné le lit où gisait le cadavre :

— Et celle-là, tu ne la connais pas ?

Les yeux de Jeanine s'agrandirent dans une expression d'horreur. Ses bras battirent le vide devant elle comme si elle voulait repousser la vision d'épouvante et, brusquement, elle s'écroula, inanimée.

— Allons bon ! La voilà qui tombe dans les pommes ! Je pensais que ça lui ferait de l'effet, mais pas à ce point-là. Apportez vite de l'eau froide !

Les inspecteurs adjoints ramenèrent de la salle de bains les seuls récipients transportables qu'ils y avaient trouvés : deux verres à dents. Leur chef en lança le contenu au visage de la fille évanouie et un étrange va-et-vient commença entre la salle de bains et la chambre. Sitôt vidés sur Jeanine dont les cheveux ruisselaient, les verres étaient à nouveau remplis au robinet d'eau froide de la salle de bains. Enfin la fille rouvrit les yeux.

— Ça va mieux ? demanda l'Inspecteur avec une sollicitude voulue, en se penchant sur elle. Je sais. Tu l'aimais bien, ta copine. Et tu avais raison : c'était une chic fille ! Toi aussi, tu es une bonne fille, ma petite Jeanine. Vous êtes des victimes, c'est tout ! Quand l'as-tu vue pour la dernière fois ?

— Il y a quelques jours.

— Où ça ?

— Rue Marbeuf dans le bar où j'étais tout à l'heure.

— Votre P.C., à toutes les deux ?

— Non. C'était là où on se retrouvait, elle et moi, quand on avait des secrets à se dire.

— Dommage qu'elle n'ait pas eu le temps de te confier le grand secret de sa fin prochaine ! Tu n'aurais pas par hasard une petite idée là-dessus ?

La fille resta muette.

— Même si tu en as une, je comprends que tu sois prudente avant de parler. Ça coûte cher d'être trop bavarde, dans ta profession. L'ennui, c'est que ton amie a été étranglée et qu'il y a de fortes chances pour que ça t'arrive à toi aussi !

— Pourquoi à moi ?

— Jamais deux sans trois, ma petite ! Sais-tu qui a fait le coup ? Tu t'en doutes, mais tu ne veux pas le dire. C'est bien ça ? Eh bien, on ne te le demandera pas parce qu'on le connaît, le bonhomme. C'est le protecteur de ton amie : un certain Georges... Tu dois bien avoir entendu parler de lui ?

— Elle ne m'a parlé que d'un André...

— Elle ne t'a dit que ce qu'elle voulait bien te dire ! André ou Georges, c'est du pareil au même puisque tous ses surnoms sont faux ! Alors, tu le connais, le Monsieur ?

— Je vous jure que je ne l'ai jamais vu !

— Mais si, tu l'as vu ! Tu ne connais même que lui ! Figure-toi qu'il s'appelle aussi « Fred »... Ça ne te dit rien ?

Jeanine pâlit. Elle balbutia :

— Fred ?... Ce n'est pas vrai !

— Pourquoi veux-tu que j'invente ça ? Le Georges ou l'André de ton amie, ton Fred et un certain Robert, dit « Monsieur Bob », c'est le même citoyen ! Et c'est lui qui a fait passer ce mauvais moment à ta grande copine. Ça t'épate, hein ! Veux-tu qu'on t'emmène quai des Orfèvres pour te montrer sa fiche ? On le connaît là-bas depuis longtemps, le bougre !

— Vous mentez ! hurla Jeanine. Vous inventez tout ça pour me faire dire n'importe quoi ! C'est faux : Fred n'est pas André !

— Mais André est bien Fred ! Ton amie Agnès le savait d'ailleurs...

— Si elle l'avait su, elle me l'aurait dit !

— Je te répète qu'elle ne te disait pas tout, mon petit... Par exemple, elle ne t'avait pas raconté que la fille que tu as remplacée dans le meublé de l'avenue

Carnot ne s'était pas suicidée mais que c'était André, dit Fred, qui lui avait réglé son compte en douce... Elle s'appelait Suzanne, la môme. C'est elle qui a inauguré la série des « refroidies »... Maintenant, c'est le tour de la deuxième et bientôt, si tu ne nous aides pas à retrouver le gars, ce sera toi qui y passeras ! Ça te sourit, cette perspective ?

— Non ! Je ne veux pas !

— Ça, je te comprends. Alors, puisque tu ne le veux pas, tu vas nous dire où se planque Fred en ce moment ?

— Je ne sais pas. Je ne l'ai pas vu...

— Tu l'as vu, il n'y a pas plus de deux heures... Il est venu te réclamer de l'oseille. Pas vrai ? Et comme tu n'en avais pas encore assez ramassé aujourd'hui, il t'a donné une adresse où tu dois lui en porter cette nuit. C'est même l'unique raison pour laquelle tu étais si pressée de faire le client que tu avais soulevé au bar de la rue Marbeuf, où tu n'opérais pas d'habitude... Ça aussi, ce sont des histoires ?

Jeanine se taisait, effondrée.

— Tu ne dis plus rien, hein ? Maintenant, si tu ne me crois pas, je vais te faire connaître quelqu'un qui va t'intéresser. Quelqu'un, dont tu ne pourras pas mettre la parole en doute, et à qui ton amie a tout raconté hier soir. Elle lui a même parlé de toi ! C'est ce qui nous a donné l'idée d'aller te cueillir.

Il alla vers la cuisine dont il ouvrit la porte en disant avec respect :

— Je vous en prie, ma Sœur, venez...

La fausse religieuse dut faire un effort surhumain

pour s'avancer, le visage douloureux et calme, vers celle qui quelques jours plus tôt, la considérait comme étant « sa plus grande amie »... Quand elle la vit, la fille brune la regarda d'abord avec stupeur, puis avec une étrange terreur en marmonnant :

— Ce n'est pas vrai !

— Mais oui, c'est vrai ! dit l'Inspecteur.

— Qui... Qui êtes-vous ? interrogea la fille désemparée.

— Sœur Elisabeth, répondit d'une voix infiniment douce la religieuse, votre amie était ma jumelle... Vous ne me connaissiez pas, mais elle m'a beaucoup parlé de vous... Elle vous aimait beaucoup !

Le regard affolé de Jeanine alla de la vivante à la morte, de la morte à la vivante... Ses lèvres s'entrouvrirent sans pouvoir articuler un son. Ce fut le policier qui parla à sa place :

— J'avoue qu'une pareille ressemblance est plutôt troublante... Elle ne t'avait jamais parlé de sa sœur Elisabeth ? Quand je t'expliquais qu'elle ne te disait pas tout ! Elle ne t'a pas plus soufflé mot de l'existence de sa jumelle que de la véritable identité de « ton » Fred !... Maintenant, ma Sœur, je vous demande de répéter à cette femme ce que vous a révélé votre jumelle hier soir ?

La fausse Elisabeth fit un récit bref des faits qui concernaient Jeanine. A mesure que celle-ci l'écoutait, son visage se décomposait. A la fin, elle se laissa tomber sur un siège que l'un des policiers avait rapproché doucement derrière elle :

— Oui... Je parlerai !

— Veux-tu un autre verre d'eau ? demanda l'Inspecteur.

— Non !

Elle parla en effet, d'une voix monocorde, entrecoupée de pauses douloureuses.

— « Il » m'a rejointe Rond-Point des Champs-Elysées et il m'a fait signe de m'arrêter au début de l'avenue Montaigne... Il était en taxi. Il est monté dans ma voiture en me disant : « Avance... » Pendant qu'on roulait vers l'Alma, il m'a expliqué : « Je viens d'avoir un coup dur : il faut que je me plaque pendant un bon bout de temps et que je file à l'étranger... Quand j'y serai tranquille, je m'arrangerai pour que tu y viennes m'y rejoindre et on sera heureux... Seulement il me faut du fric en vitesse ! Débrouille-toi ? Combien as-tu déjà fait ? »... Je sortais d'une « passe » à dix billets... Il me les a pris en me donnant l'ordre de ne le rejoindre qu'après avoir fait encore cinquante de mieux... Comme je lui répondais que je ne savais pas si j'allais y arriver, il m'a dit : « Tu n'as qu'à taper des copines ! Il me les faut avant minuit ! »

— Et où dois-tu lui porter le fric ?

— Dans un petit café, près de la Bastille...

— Donne l'adresse !

Elle tendit un papier sur lequel était griffonné une adresse. Après un regard, l'Inspecteur grommela :

— « Chez Jules » ? On connaît ça ! « Il » t'a dit qu'il y serait lui-même ?

— Oui, dans l'arrière-salle.

— A partir de quelle heure ?

— Vingt-trois heures...

— Eh bien, il est cuit « ton » Fred ! Il ne le fera pas, son beau voyage ! D'ailleurs, avec soixante billets, il n'aurait pas été très loin, l'imbécile ! Il doit le regretter en ce moment, tout le pognon qu'il a laissé sur les hippodromes ou sur les tapis verts ! S'il avait pu prévoir que la discussion avec son autre protégée finirait ainsi, il aurait mis du fric à gauche. C'est ce qui me confirme, ma Sœur, dans l'opinion qu'il a tué dans un accès de rage ! Mauvais, la colère ! Très mauvais, quand on veut faire du boulot soigné...

Il regardait à nouveau la fille brune qui restait prostrée sur son siège :

— Ça vous secoue des aventures pareilles, hein ? Tu n'es qu'une pauvre môme, mon petit... Réponds encore à trois ou quatre questions et je te laisse tranquille : il t'a laissée place de l'Alma ?

— Oui...

— Et il ne t'a pas dit qu'il avait étranglé une fille ?

— Si !

— Il t'en a donné la raison ?

— Il m'a dit que c'était une salope qui l'avait vendu...

— Rien que cela ! Seulement, il ne t'a pas dit son nom ? Ni qu'il la faisait travailler depuis plus de trois ans ? Avoue que tu aurais fait une drôle de tête, s'il t'avait dit qu'elle s'appelait Agnès ?

— Agnès ? répéta la fille en relevant la tête. Ce n'est pas le nom de la morte ; elle s'appelle Cora...

— Cora ? Ça, c'est nouveau... Dites-moi, ma Sœur,

votre jumelle vous avait raconté qu'elle avait changé de prénom ?

— Oui... J'ai oublié de vous le dire, Monsieur l'Inspecteur ! Agnès m'a même précisé que c'était l'homme qui l'avait exigé : il trouvait que ce nom d'Agnès faisait trop distingué...

L'Inspecteur jeta un regard vers la morte avant d'ajouter :

— Il se trompait, Monsieur Bob ! Agnès lui allait rudement mieux !

Puis s'adressant à Jeanine :

— On ne t'arrête pas, mon petit. Il n'y a aucune raison. Seulement, tu vas rester sous notre protection jusqu'à ce que nous ayons mis la main sur l'oiseau rare ! C'est encore quai des Orfèvres que tu seras le plus en sûreté : on va t'y emmener. Tu pourras en ressortir vers une heure du matin. Mais je vais te donner un bon conseil : évite, auprès de ta clientèle future, de te vanter d'avoir failli être la troisième victime de « Monsieur Bob ». La Presse s'emparerait de l'histoire, on te demanderait même peut-être d'écrire tes mémoires... Ce serait de mauvais goût ! Et tu n'as pas le droit de le faire, par respect pour la mémoire de ton amie. C'est bien votre avis, ma Sœur ?

— Je suis sûre, Monsieur l'Inspecteur, que cette jeune femme saura se taire.

— Oui, ma Sœur. Je vous le promets.

La fausse Elisabeth demanda alors à l'Inspecteur :

— Avant que vous ne l'emmeniez, me permettez-vous de rester seule à seule avec elle pendant quelques instants dans cette chambre ?

— Mais certainement, ma Sœur...

Les inspecteurs se retirèrent dans le vestibule.

— Je vous ai dit, Jeanine, qu'Agnès vous aimait beaucoup.

— Oh ! vous avez aussi la même voix qu'elle et je crois l'entendre. Moi aussi, je l'aimais beaucoup, ma Sœur ! répondit la fille dans un élan. Mais pourquoi ne m'a-t-elle pas dit son vrai prénom ? Avec moi, elle pouvait avoir confiance : je lui ai prouvé !

— Elle me l'a dit en effet... Et elle vous en était très reconnaissante. Je suis persuadée qu'un jour ou l'autre, elle aurait fini par vous révéler qu'elle s'appelait Agnès ainsi que la véritable identité de celui qui vous avait trompées toutes les deux. Malheureusement, le Ciel ne lui en a pas laissé le temps !

— Le Ciel ? répéta la fille avec un étonnement mêlé de scepticisme. C'est plutôt Bob...

— Non. Tous nos actes sont régis par une volonté supérieure à la nôtre. C'est Dieu qui a jugé que ma pauvre sœur avait assez vécu...

— Vous n'allez tout de même pas me faire croire que c'est le Bon Dieu qui inspire les assassins ?

— Peut-être les utilise-t-il comme instruments de sa colère divine ?

Et, comme Jeanine la regardait sans paraître comprendre, la fausse Sœur Elisabeth continua :

— Qui vous dit que Dieu n'a pas voulu vous donner ainsi un grave avertissement ? Vous devez le remercier d'avoir été épargnée et prier pour le repos éternel de celle qui fut votre amie... Avez-vous appris vos prières ?

— Oui, ma Sœur, quand j'étais toute petite.

— On ne les oublie jamais ! Nous allons nous agenouiller devant ce lit et réciter trois Ave Maria pour le repos de l'âme de notre chère défunte...

Elles s'agenouillèrent, l'une à côté de l'autre. La voix douce de la religieuse commença : « *Je vous salue, Marie, pleine de grâce...* »

La voix, plus rude de la fille répondit : « *Priez pour nous, pauvres pécheurs...* »

Quand elles se relevèrent, Jeanine avait ses grands yeux — ses immenses yeux noirs qu'Agnès avait trouvés si beaux le jour où elles avaient fait connaissance à *la Calavados* — remplis de larmes. Et ce fut dans un complet désarroi que la troisième « protégée » de M. Bob demanda :

— Ma Sœur, qu'est-ce que je vais devenir maintenant ?

— Vous allez redevenir ce que vous avez toujours eu envie de rester : une honnête fille... Au revoir, ma petite Jeanine...

— Merci, ma Sœur...

Quand la fille fut sortie, escortée de deux anges gardiens, l'inspecteur dit à la fausse Elisabeth :

— C'est bien regrettable qu'on ne puisse pas toutes les faire entrer chez les Petites Sœurs des Pauvres ! Ce serait la meilleure façon de les reclasser en leur apprenant à être enfin utiles à quelque chose !

— Il faut aussi la vocation, répondit la religieuse...

Comme vous me l'avez offert, Monsieur l'Inspecteur, puis-je utiliser l'une de vos voitures pour me rendre au SHAPE ?

— On vous attend en bas, ma Sœur.

— Ensuite je reviendrai ici pour veiller le corps.

— Il ne sera pas seul pendant votre absence. Je laisse deux hommes dans l'appartement.

— Ma pauvre petite Agnès ! Si on lui avait dit qu'un jour son cadavre sera veillé par des policiers !

— La police sert à tout, ma Sœur !... J'ai l'impression que vous nous trouvez un peu rudes ?

— Je vous respecte, vous et vos semblables, mais je reste persuadée que la police la plus efficace est encore celle qui s'inspire de la charité.

— C'est évidemment un point de vue... Permettez-moi, ma Sœur, de vous présenter quand même nos condoléances les plus sincères.

— Je vous remercie, Monsieur l'Inspecteur.

Pendant que la voiture de police l'emmenait vers Marly, la fausse religieuse était songeuse...

Elle remerciait d'abord, du fond de son cœur, la petite Sainte qui n'avait cessé de l'inspirer, pendant tout l'interrogatoire des enquêteurs, pour qu'elle pût faire illusion et jouer le plus difficile des rôles... Un rôle ? N'était-ce vraiment qu'un rôle qu'elle venait de vivre ? Instinctivement, et sans que le chauffeur installé au volant pût comprendre les gestes étranges de la religieuse assise solitaire sur la banquette arrière de la traction, elle passa ses mains sur l'humble bonnet blanc qui lui enserrait la tête, sur le bandeau qui lui cachait le front, sur le triste voile des veuves de Cancale... Les mains longeaient maintenant la robe noire et la taille emprisonnée par la ceinture de cuir... Après avoir caressé le rosaire brisé, qu'elle avait quand même réussi à suspendre à cette ceinture comme le faisait Elisabeth et comme le font toutes les servantes des Pauvres, les mains s'étaient jointes... Au-dessus de tous les gestes humains, n'y avait-il pas la force mystérieuse des mains jointes ?

Ces mains dont la finesse ne s'était pas commise aux rudes travaux quotidiens d'une Maison de charité, ces mains de pécheresse dont Agnès avait honte, elle voulait les purifier par le labeur au service de Dieu et des déshérités de ce monde...

Etait-ce parce qu'elle portait le vêtement des petites servantes ou par un étrange phénomène de mimétisme qu'elle s'était si aisément identifiée à sa jumelle ? Agnès n'avait plus besoin de se regarder dans un miroir pour savoir qu'elle n'était déjà plus la même. La ressemblance physique s'était doublée d'une réelle identité morale. C'était comme si les pensées, le cœur, l'âme surtout d'Elisabeth s'étaient transportés dans Agnès. Et c'était bien là le plus grand de tous les miracles qu'obtiendrait celle qui avait rejoint le royaume de l'Epoux Divin.

L'intervention surnaturelle d'Elisabeth ne s'était pas fait attendre : elle avait été aussi fulgurante et aussi efficace que la décision terrestre qu'elle avait prise, la veille, pour arracher sa jumelle à un passé trouble. Agnès comprenait également que pas un instant, pendant le pénible interrogatoire, elle n'avait joué une odieuse comédie : ses réponses avaient été sincères puisqu'elle était vraiment devenue « Sœur Elisabeth ». C'était Agnès-Irma qui était morte.

Dans quelques instants, elle connaîtrait — en présence de celui qu'elle avait aimé de toute son âme — la plus douloureuse des épreuves : volontairement, parce que l'ombre de la défunte le demandait, Agnès immolerait son amour. Elisabeth n'avait pas craint d'offrir le sacrifice de sa vie pour que sa jumelle pût être enfin libérée du passé ; c'était maintenant à Agnès à se substituer à la petite Sainte dans sa mission terrestre. Ainsi aucune des jumelles n'aurait trahi l'autre...

Si l'on n'avait jamais vu, avant la visite de James, un officier de la Marine des Etats-Unis pénétrer dans la Maison de l'avenue du Maine, c'était bien la première fois aussi qu'une petite servante des Pauvres était introduite dans l'une des salles de réception du Shape. Le décor moderne ne rappelait le parloir que par une sobriété dont le dépouillement rejoignait l'esprit de pauvreté.

Le commodore arriva rapidement :

— Elisabeth ! Quelle surprise ! Qu'est-ce qui me vaut l'honneur de votre visite ici ?

Mais comme la religieuse ne répondait pas, il demanda, inquiet :

— Y aurait-il quelque chose de grave ?

— De très grave, James !

— Que voulez-vous dire ?

— Agnès n'est plus...

Et comme il la regardait, ne comprenant pas, elle répéta :

— Dieu vous a pris votre fiancée, James...

Elle parla, lui racontant, comme elle l'avait déjà fait pour les policiers, mais avec infiniment plus de douceur, les circonstances dans lesquelles elle avait trouvé sa jumelle dans l'appartement de la rue de la Faisanderie. Après l'avoir écoutée, avec une angoisse grandissante, l'officier balbutia, horrifié :

— Assassinée ? Mais pourquoi ? Quel mal avait-elle fait ?

— Aucun, James, à celui qui l'a tuée... Par contre elle vous en a fait à vous !

— A moi !

— En vous cachant, depuis le premier jour où vous l'avez rencontrée, la véritable existence qu'elle menait... Croyez bien, James, que je suis bouleversée d'être contrainte de vous faire cette révélation... Mais c'est mon devoir de vous dire, maintenant qu'elle n'est plus, qu'Agnès n'était pas digne de votre amour.

Longuement, le géant aux yeux clairs regarda la petite Sœur bien en face avant de répondre :

— Ne dites pas cela, Elisabeth ! Vous ne le pensez pas plus que moi. Je sais la tendresse dont vous avez toujours entouré Agnès, et elle vous la rendait comme vous le méritiez. Pourquoi essayer de ternir ce qui a été très beau ? Je sais aussi qu'Agnès m'ai-

mait et qu'elle était prête à tout pour notre bonheur !

— Vous savez aussi cela, James ?

— Oui.

— Vous avez raison : Agnès a été parfaitement
sincère dans son amour pour vous ! Et je remercie Dieu de l'avoir reprise avant que vous n'appre-
niez toute la vérité...

— Quelle vérité ? Il n'y en a qu'une ; nous nous
aimions ! Je continuerai à l'aimer toujours...

— Vous prierez pour elle, James. Ce sera préférable ! Il faudra que vous l'oubliiez un jour et que
vous fassiez votre vie avec l'une de vos compatriotes.

— Jamais ! Vous n'avez pas le droit, étant sa sœur
et religieuse, de dire des choses pareilles ! Dieu vous
écoute en ce moment...

— Je sais qu'il m'écoute... Mais je l'écoute aussi !
Et c'est lui seul qui dicte mes paroles.

Une seconde fois, il l'observa intensément. Il comprit l'immense détresse qui était en elle. Les yeux
de la religieuse cherchaient à éviter les siens comme
s'ils craignaient qu'il ne parvînt à deviner les sentiments qu'elle tentait désespérément de cacher dans
son cœur déchiré... Il y avait dans ce regard de
femme une telle angoisse qu'il finit par murmurer :

— Je comprends... Il y a des choses que votre
amour pour Agnès et votre respect pour une défunte
vous interdisent de me dire... Je ne vous demanderai
rien ! Mais c'est moi, petite Sœur, qui vous dois un
aveu : je savais qu'Agnès vivait avec un homme
indigne...

Elle sentit son sang se glacer et elle répéta, hébétée :

— Vous le saviez ?

— Depuis le jour où j'avais annoncé à mes Chefs mon intention de l'épouser. L'enquête, que nos Services ont l'habitude de faire en pareil cas, l'a révélé...

— Et malgré cela, vous l'auriez épousée ?

— J'ai répondu à mes Chefs que si je m'étais senti seul, je n'aurais peut-être pas eu une force d'âme assez grande pour l'arracher à son passé... Mais je vous savais près de moi, petite Sœur ! Le jour de ma visite avenue du Maine, j'avais compris que j'avais en vous la plus puissante des alliées ! J'avais la certitude aussi que vous m'aideriez à rendre ma femme heureuse...

— Et... Qu'ont dit vos chefs ?

— Eux aussi ont eu confiance en vous...

— Comme vous l'aimiez, James !

Pour la dernière fois, pendant un instant infime qui conserverait cependant la force des moments éternels, les yeux de la petite Sœur se noyèrent, éperdus d'amour, dans ceux du géant blond avant de se baisser pour toujours vers l'humilité de la terre... L'homme, étrangement troublé, ne vit plus que deux traînées de larmes silencieuses coulant le long du visage encadré par le bonnet blanc.

Très ému, il demanda :

— Puis-je la revoir une dernière fois ?

— Il vaut mieux ne pas la revoir, James... Ce serait pour vous une vision trop affreuse ! L'enterrement aura lieu, après-demain, à notre Chapelle.

— Après-demain ? Le jour où nous devions nous marier.

— Il faut croire que ce jour-là une cérémonie devait avoir lieu...

— J'y serai.

— J'ai quelque chose à vous rendre...

Elle lui avait tendu la bague de fiançailles.

— Gardez-la, petite Sœur.

— Je ne le puis pas ; j'ai fait vœu de pauvreté.

— Alors utilisez le produit de sa vente pour mes vieux amis, « les terribles ».

— Ils sont assez gâtés comme cela ! Me permettez-vous de faire de ce bijou un emploi qui correspondra davantage à la pensée d'Agnès ?

— Tout ce que vous déciderez sera bien. Moi aussi, j'ai quelque chose à vous restituer...

Et pendant qu'il sortait de son portefeuille la photographie, donnée par la véritable Elisabeth et où l'on voyait les jumelles à l'âge de quinze ans, il continua :

— Je sais que c'est le seul portrait qui vous reste d'elle... Moi, je n'en ai plus besoin !

Elle prit la photographie dans sa main tremblante en disant :

— Merci, James... Je crois qu'il va falloir nous quitter.

— Je voudrais que vous sachiez, petite Sœur, que quoi qu'il arrive, quel que soit le temps qui s'écoulera ou la distance qui nous séparera, vous resterez toujours pour moi quelqu'un de ma famille... Vous serez aussi un peu la France ! Vous comprenez ?

— Très bien, James...

— Et si jamais un jour j'étais repris par un besoin irrésistible de revoir le visage de celle qui a été ma fiancée, je n'hésiterais pas à revenir vous rendre visite à votre Maison des Pauvres... Vous m'y recevriez ?

— Oui, dans le parloir, en présence de saint Joseph...

— Aussi, nous ne nous disons pas adieu, petite Sœur, mais au revoir !

— A bientôt, James...

Elle était déjà sur le seuil de la pièce quand il eut un cri :

— Agnès !

Elle s'immobilisa, figée sur place, n'ayant même pas le courage de se retourner. Et elle murmura à voix très basse :

— Pourquoi m'avoir appelée ainsi ?

— Pardonnez-moi, Elisabeth... Ce fut plus fort que ma volonté : en vous regardant partir, j'ai eu l'impression étrange de voir s'enfuir mon amour qui me quittait pour Dieu...

Dans la voiture de police qui la ramenait rue de la Faisanderie, la fausse Elisabeth déchira la photographie où on les voyait toutes deux avec de longs cheveux dans le dos, puis elle jeta par la fenêtre de la portière les morceaux qui s'éparpillèrent au vent. Pourquoi conserver un pareil document puisque les deux jumelles s'étaient fondues en une seule personne qui avait dit adieu au monde ?

Toute la nuit, rue de la Faisanderie, elle resta en prière devant le corps de la morte. Elle ne fut pas seule pendant cette veillée : la Supérieure de la Maison des Pauvres, la Très Révérende Mère Marie-Madeleine, était auprès d'elle.

Tandis qu'elles étaient agenouillées l'une et l'autre devant la gisante, la Supérieure — habituée à lire davantage dans les âmes que sur les visages — ne quittait pas des yeux la fausse Elisabeth ; sous l'action de ce regard empreint d'autant de fermeté que de bienveillance, Agnès fondit en larmes, se prosterna devant la Mère jusqu'à terre comme pour lui faire l'hommage de sa personne.

— Relevez-vous, ma fille, dit Mère Marie-Madeleine. Je sais qu'il s'agit là de tout autre chose que d'une mascarade. Ce n'est point à mon insu que Sœur Elisabeth a tenté de fléchir le monstre. Elle m'avait tout confessé : je sentais bien la folie de son entreprise, mais je sentais aussi qu'elle était inspirée d'En-haut, et je n'ai pas cru pouvoir y faire obstacle. Dieu avait accepté le sacrifice qu'elle offrait : elle est maintenant dans sa divine lumière. Mais un tel sacrifice ne pouvait avoir de sens que s'il payait votre rachat. Quand je vous ai identifiée sous cet habit, j'ai senti que vous étiez rachetée.

— Je me dois de remplacer ma sœur disparue, dit Agnès. Et je voudrais que la substitution fût totale — même si je suis loin d'avoir sa sainteté.

— Vous serez Sœur Elisabeth, dit la Mère. Vous irez d'abord à La Tour Saint-Joseph accomplir un noviciat que l'on abrégera autant que possible. Et vous viendrez ensuite à notre Maison de l'avenue du Maine, où Sœur Elisabeth n'aura point été oubliée en si peu de temps. L'intervalle, cependant, empêchera qu'on décèle une différence sensible entre celle qui est partie et celle qui reviendra. Vous serez Sœur Elisabeth !... Maintenant, répondez-moi : vous sentez-vous capable de la remplacer en tout ?

— Si Dieu veut bien m'aider, oui, ma Mère.

— Nous prierons pour vous... Vous avez la chance aussi d'avoir maintenant auprès de Lui la plus sûre des alliées...

Le regard de Mère Marie-Madeleine s'était reporté sur le visage de la jeune morte :

— Continuons à prier...

Vers deux heures du matin, le silence de la veillée funèbre fut brusquement troublé par la sonnerie du téléphone. La fausse Elisabeth tressaillit : cela lui rappelait la nuit où elle avait dit à James, avant de le quitter à Saint-Germain : « Je vous permets de m'appeler dans une demi-heure pour vérifier que je suis bien rentrée à bon port. »

L'un des agents, laissé pour assurer la garde de l'appartement, prit la communication. Il entra dans la chambre mortuaire et dit à Agnès agenouillée :

— Ma sœur, j'ai un message à vous transmettre...

Elle se leva et le suivit dans le living-room.

— C'est l'Inspecteur, continua l'agent, qui me prie de vous informer que l'homme était armé : il s'est défendu au moment de son arrestation et il a été abattu.

La fausse Elisabeth inclina la tête et revint s'agenouiller devant le lit. Elle reprit sa prière silencieuse, et y mêla une nouvelle intention : « *Petite Sœur, j'ai souvent souhaité le châtiment de ce misérable, mais depuis le moment où je t'ai remplacée, il n'y a plus de place pour la haine dans mon cœur. Cet homme n'est plus pour moi qu'un malheureux pour qui je suis sûre que tu as prié... Comme toi, je vais prier pour lui.* »

Les fleurs blanches, qui avaient été prévues pour le mariage, restèrent dans la chapelle pour l'enterrement.

La Communauté était là, réunie autour de celle que tous — à l'exception de la Mère Supérieure — croyaient être Elisabeth : la Très Révérende Mère Marie-Madeleine, Sœur Kate l'Irlandaise, Sœur Dosithée la Canadienne, Sœur Béatrice la Hollandaise, Agathe la Sœur portière, Sœurs Paola, Marcelina, Caterina, les petites Italiennes... Toutes priant pour celle qu'elles avaient rêvé de voir en mariée terrestre. Les vieux occupaient les bancs de droite, les vieilles ceux de gauche... Eudoxie, Berthe, Félicité, l'acariâtre Mélanie elle-même, qui pleurait doucement. Après l'absoute, donnée par l'aumônier quand le cercueil fut hissé dans le fourgon funéraire, la chorale —

groupée dans la cour autour de son animateur Melchior de Saint-Paumier — resta muette : il n'y eut pas de « Marche de Souza » chantée en l'honneur du commodore.

Il était cependant là, le paladin des temps modernes, dans son bel uniforme... Et il voulut être du groupe de ceux qui accompagnèrent « le Grand Mannequin » jusqu'à sa dernière demeure : le cimetière de Pantin. Groupe étrange en vérité, fait d'une petite servante des Pauvres qui n'en était pas encore une, d'un ancien maître-bottier de Saumur *le Cavalier*, d'un vieil orfèvre d'art *le Bijoutier*, d'un banquier qui avait fait faillite *le Financier*, d'un cabotin qui n'avait pas réussi *le Chanteur*, d'un officier de marine américain qui croyait enterrer sa fiancée — mais le croyait-il ? ou avait-il compris et accepté la pieuse supercherie —, d'une directrice de Maison de Couture — Claude Vermand — qui représentait un métier auquel Agnès avait dit adieu sans regret, d'une fille brune enfin qui ne s'était pas maquillée : Jeanine...

Et tout ce monde se pencha une dernière fois vers la terre pour faire le geste rédempteur du Signe de Croix sur la tombe qui allait se refermer sur un secret.

Avant de quitter le cimetière, Agnès voulut retrouver une autre tombe devant laquelle elle s'agenouilla, imitée par ceux qui l'avaient suivie. Personne n'osa lui en demander la raison, mais chacun put lire, précédant les deux dates limites d'une vie, un prénom : SUZANNE, suivi d'un nom quelconque.

Quand ils furent sortis dans la rue, la fausse religieuse s'approcha de Jeanine.

— Je vous remercie d'être venue, dit-elle. Prenez ceci...

Elle lui glissa dans la main, sans que personne pût voir son geste, parce que la vraie charité doit rester cachée, ce qui avait été une bague de fiançailles. La fille brune eut un haut-le-corps.

La religieuse mit un doigt devant sa bouche en disant très bas :

— Chut ! C'était à Agnès... Je sais combien vous avez su vous montrer compréhensive pour elle un jour où elle voulait être heureuse. Je sais aussi qu'elle vous avait promis de vous faire un cadeau. Vous voyez : elle tient parole ! Mais voici son vœu que je vous transmets : la vente de cette pierre peut vous permettre de sortir de l'ornière où l'on vous a enfoncée, et de retrouver une vie plus digne.

Elle alla ensuite, la religieuse, vers l'officier solitaire et lui demanda :

— Vous partez toujours ce soir à Orly pour votre beau pays ?

— Oui, petite Sœur.

— Alors laissez-moi vous embrasser pour la dernière fois.

Elle le fit très vite, sur la joue... Puis elle courut rejoindre les vieux qui l'attendaient, avant que James ait eu même le temps de comprendre que c'était le véritable adieu.

Immobile, le géant blond eut une dernière vision de la silhouette de l'humble servante des pauvres qui s'engouffrait dans l'escalier du métro, suivie par « ses terribles ».

Longtemps, il demeura ainsi. N'avait-il pas deviné, l'Américain, qu'une fausse Sœur Elisabeth — après avoir demandé pardon au Ciel pour son dernier mensonge — deviendrait une véritable Sœur Elisabeth, et finirait par être une fille de la vraie joie en devenant l'épouse du Christ ?

ROMANS-TEXTE INTÉGRAL

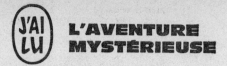

L'AVENTURE MYSTÉRIEUSE

ÉDITIONS J'AI LU
31, rue de Tournon, Paris-VIᵉ

Exclusivité de vente en librairie:
FLAMMARION

IMPRIMÉ EN FRANCE PAR BRODARD ET TAUPIN
6, place d'Alleray - Paris.
Usine de La Flèche, le 25-07-1972.
1841-5 - Dépôt légal, 3ᵉ trimestre 1972.